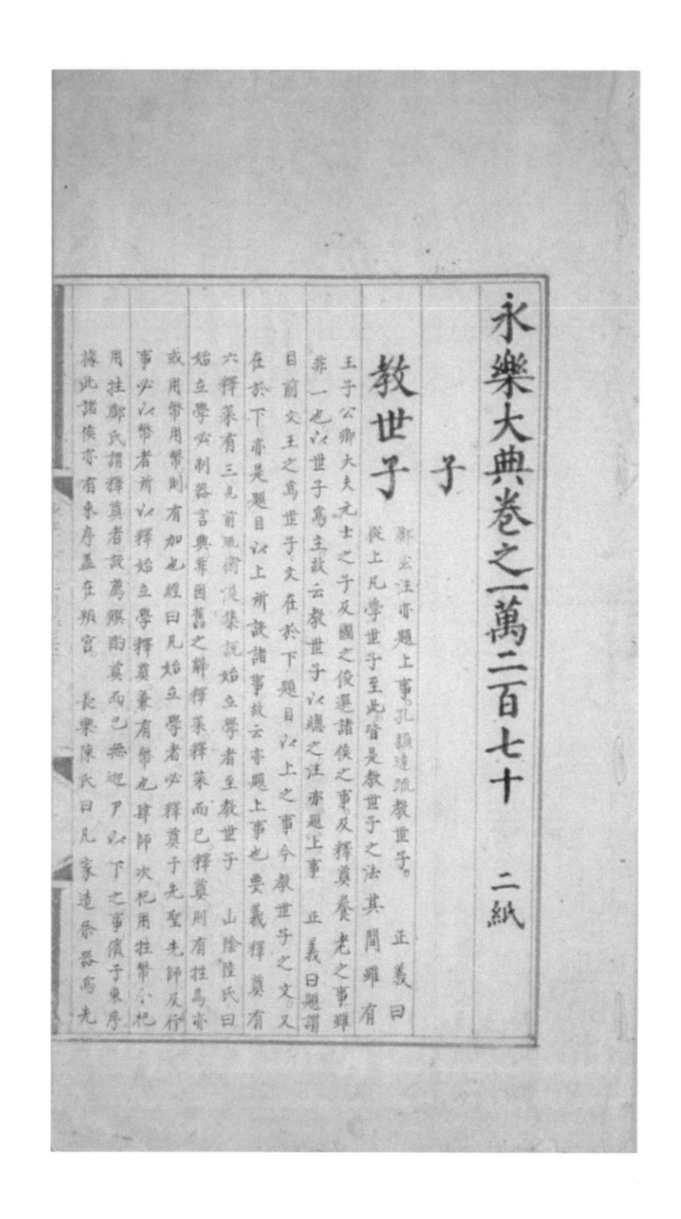
永樂大典卷之一萬二百七十　二紙
子
教世子　鄭玄注亦題上事。孔穎達疏教世子。正義曰
從上凡學世子至此皆是教世子之法其間雖有
王子公卿大夫元士之子及國之俊選諸侯之事。及釋奠養老之事雖
非一也以世子爲主故云教世子以揔之注亦題上事　正義曰題謂
目前文王之爲世子文在於下題目以上之事今教世子之文又
在於下亦是題目以上所說諸事故云亦題上事也要義釋奠有
六釋菜有三凡前汎衛湜集說始立學者至教世子　山陰陸氏曰
始立學必制器言典非因舊之辭釋菜釋菜而已釋奠則有牲爲亦
或用幣用幣則有加也經曰凡始立學者必釋奠于先聖先師及行
事必以幣者所以釋始立學釋奠兼有幣也肆師次祀用牲幣小祀
用牲鄭氏謂釋奠者設薦饌酌奠而已無迎尸以下之事償于東序
據此諸侯亦有東序蓋在頖宮　長樂陳氏曰凡家造祭器爲先

圖一：2014年美國亨廷頓圖書館新發現《永樂大典》卷一萬二百七十

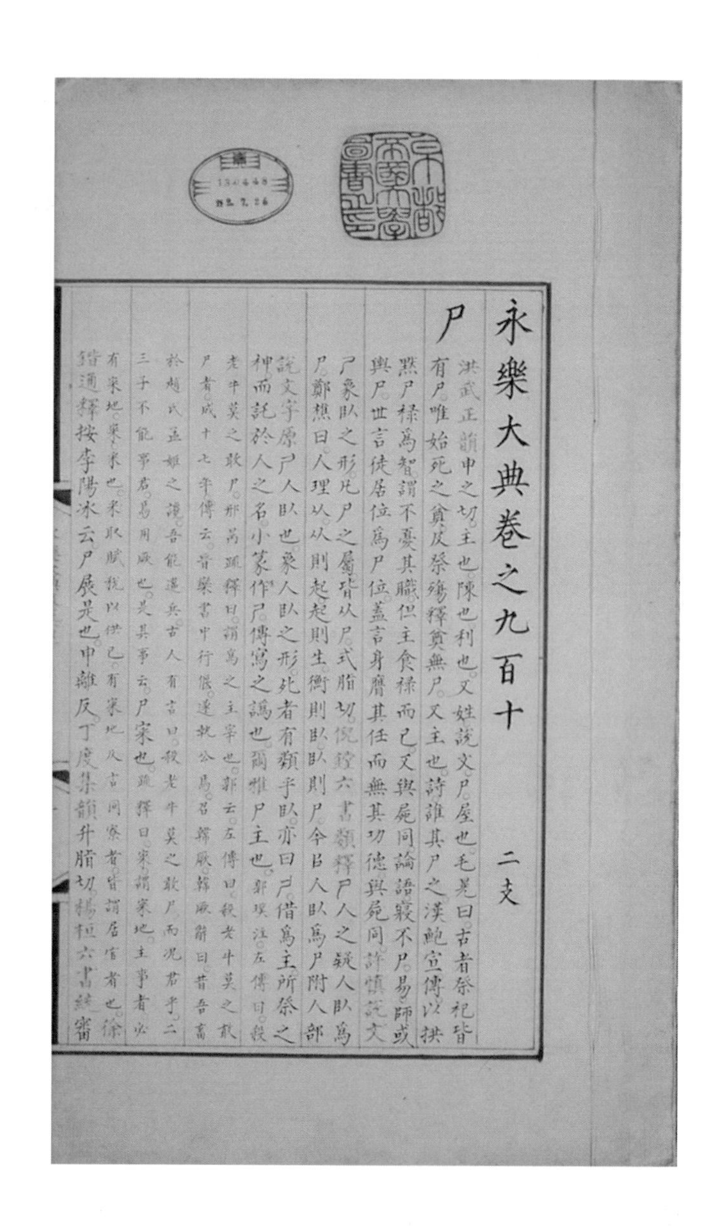
永樂大典卷之九百十　二支

尸

洪武正韻申之切主也陳也利也又姓說文尸屋也毛晃曰古者祭祀皆
有尸唯始死之質反祭殤釋貢無尸又主也詩誰其尸之漢鮑宣傳以拱
默尸祿爲智謂不憂其職但主食祿而已又與屍同論語寢不尸易師或
與尸世言使居位爲尸位蓋言身膺其任而無其功德與屍同許愼說文
尸象臥之形凡尸之屬皆从尸式脂切倪鏜六書類釋尸人之疑人臥爲
尸鄭樵曰人理从从則起起則生衡則臥臥則尸今以人臥爲尸附人部
說文字原尸人臥也象人臥之形死者有類乎臥亦曰尸借爲主所祭之
神而託於人之名小篆作尸傳寫之譌也爾雅尸主也郭璞注左傳曰殺
老牛莫之敢尸邢昺疏釋曰謂爲之主宰也郭云左傳曰殺老牛莫之敢
尸者成十七年傳云晉欒書中行偃遂執公焉召韓厥韓厥辭曰昔吾畜
於趙氏孟姬之讒吾能違兵古人有言曰殺老牛莫之敢尸而況君乎二
三子不能事君焉用厥也是其事云尸寀也疏釋曰寀謂寀地主事者必
有寀地寀采也采取賦稅以供己有寀地凡言同寀者皆謂居官者也徐
鍇通釋按李陽冰云尸展是也申離反丁度集韻升脂切楊桓六書統審

圖二：日本京都大學附屬圖書館藏《永樂大典》卷九百十

語言文字叢書

《永樂大典》所引小學書鉤沉

增訂版

翁敏修　著

自序

眼前這部小書，是個人取得博士學位之後，另一階段微渺而難忘的學術成績。

《永樂大典》成書六百年來屢經劫難，雖僅存斷簡殘編，但仍擁有許多豐富的文獻資料可供比勘。可惜國內自楊家駱先生蒐羅影印出版，以及顧力仁先生之大作《永樂大典及其輯佚書研究》對其進行全面性研究之後，便較少學者著意於此。個人原先是為了蒐集《說文》校勘的文獻材料，於因緣際會下，翻閱《永樂大典》，竟每每在字頭的釋音釋義下，發現了《廣干祿字》、《六書類釋》、《字潫博義》等，在小學史較為罕見而如今多已亡佚的字書與韻書，這些以文字學、文獻學角度視之，都是較少學者留意的材料，就引起了我高度重視與研究興趣。

本課題研究期間，獲得了行政院國科會專題計畫補助（NSC 99-2410-H-211-013），謹此致謝。本書即是在計畫執行期間所發表單篇論文的基礎上，增訂擴充而成。除了改正小論發表時若干缺失之外，也增加了數種未曾發表的輯佚成果，包括吾衍《說文續釋》、鄭之秀《精明韻》、以及孫吾與《韻會定正》、《韻會定正字切》，並於書末製作〈材料來源表〉，以利讀者檢閱。

我資質駑鈍，生性又不浪漫，於義理、詞章俱難窺其堂奧，惟稍有聊以自持者，即是能耐著性子坐冷板凳，從事費時費力的文獻整理工作。輯佚、校勘非時下熱門學科，更是枯燥無趣的苦差事，往往花費了許多時間，卻只得出一點點成績，老同學中興大學黃君屢屢勸我轉行，而我始終樂此不疲。

感謝許錟輝師多年來的指導驅策，錟公是我心目中經師與人師典範；感謝林慶彰師諄諄善誘與勉勵，慶彰師是兩岸備受尊敬的經學家、文獻學家。感謝家人多年來的支持，內人家庭治理得宜，使我能專心於學問。

攻讀博士學位期間，適逢國內高教體系環境的急遽改變，而我十分幸運，畢業後即能順利謀得教職，生活稍能無虞。感謝東吳大學中文系碩博士班嚴謹的學術訓練；感謝經國管理學院通識中心，願聘用青年博士教師；感謝華梵大學中文系，大崙山巔景色秀麗宜人，真是教學、研究的好地方。

投入《永樂大典》研究已近五年，期盼這部小書，為「大典學」作出微薄的貢獻。個人學術研究的下一階段，將持續關注《四庫全書》中的「永樂大典本」。此書得以順利出版，感謝萬卷樓晏瑞學弟及家嘉編輯的協助。

張舜徽先生論輯佚為學成以後之事（《廣校讎略》語），我年逾不惑，學猶未成，卻雅好此道，時時深感戒慎恐懼。囿於學識粗淺，全書疏漏訛誤之處，尚祈方家俊彥不吝指正。

乙未孟春之月序於國立雲林科技大學

此次增訂，改正了初版幾處明顯的疏失；考證方面，補入兩部《大典》僅存一條的小學書，並對流傳情況特殊的《正始音》、《孫氏字說》與《五十先生韻寶》，作了初步的討論。

丙申季春之月再序

目次

自序 …… 1

第一章　緒論 …… 1

第一節　輯佚概說 …… 1
第二節　《永樂大典》與古籍輯佚 …… 5
第三節　歷來研究成果 …… 11
第四節　研究內容與步驟 …… 14

第二章　《永樂大典》所引字書鉤沉 …… 23

第一節　《二十體篆》 …… 23
第二節　《廣干祿字書》 …… 36
第三節　《存古正字》 …… 54
第四節　《六書類釋》 …… 60
第五節　《說文續釋》 …… 69
第六節　《隸韻》 …… 76
第七節　《字滌博義》 …… 77

第三章　《永樂大典》所引韻書鉤沉 …… 109

第一節　《精明韻》 …… 109
第二節　《五書韻總》 …… 112

第三節　《經史字源韻略》……118
第四節　《正字韻綱》……125
第五節　《韻會定正》《韻會定正字切》……131
第六節　《廣韻總》……158

第四章　《永樂大典》所引小學書三種考略……159

第一節　《正始之音》……159
第二節　《孫氏字說》……165
第三節　《五十先生韻寶》……172

第五章　結論……177

參考文獻：引用書目……195
參考文獻：知見書目……209
附錄一：《永樂大典》所引小學書材料來源表……217
附錄二：《永樂大典》所引小學書一覽表……245
書影……251

第一章
緒論

第一節　輯佚概說

我國古籍流傳已久，篇帙浩繁，又多經戰爭、水火之災害，歷代典籍的聚集散佚，往往令學者浩歎扼腕。於是自現存古籍中，尋找殘存古籍，就產生了文獻整理中一項重要的工作——「輯佚」。張舜徽對輯佚有以下的說明：

> 古代文獻，既存在著嚴重的散佚現象，往往前代《藝文志》或《經籍志》已著錄了的書，過了一個時期便找不到了；於是有些好學博覽之士，為著滿足自己求知的欲望，特別對於已經散佚了的古代名流學者的寫作，寄與無窮的歆慕和追求，想盡方法，希望通過其他書籍中引用的材料，重新搜輯、整理出來，企圖恢復作者原書的面貌，或者恢復它的一部分，這便是「輯佚」。[1]

孫欽善認為輯佚工作有輯集與輯補的區別：

> 輯佚就是從傳世的有關文獻中鈎稽、輯錄已經散佚的整部古書或現存古書中部分遺失的內容（包括較完整的篇段和斷章殘

1　張舜徽：《中國文獻學》（鄭州市：中州書畫社，1982年12月），第6編第6章〈輯佚〉，頁192。

> 句)。如果細加區別,前者稱輯集,後者稱輯補。[2]

劉兆祐先生有更為簡潔的定義:

> 所謂「輯佚」,就是將亡佚不傳的古籍,從其他尚見流傳的文獻中,鉤沉纂輯,俾學者得復見佚書內容的工作。[3]

曹書杰則認為輯佚是文獻現象同時也是文獻整理方法:

> 「輯佚」不僅是一種文獻現象,也是一種學術研究的方法,也是一種古人著述和編輯、整理文獻的常用方法。[4]

自東漢馬融以《春秋》、《國語》、《孟子》諸書引〈泰誓〉之佚文,與今本〈泰誓〉相考校,初為輯佚之法;宋元以降,從事者眾,此業更加興盛,如宋代王應麟《三家詩考》匯輯齊、魯、韓三家《詩》佚文;元代陶宗儀《說郛》抄綴古類書,以及明代梅鼎祚《樂苑》廣採先秦至唐樂府體等,皆為輯佚名家。[5]

清代重漢學,皮錫瑞稱其為「經學復盛時代」,其於《經學歷史》嘗概括清儒有益後學者,為「輯佚書」、「精校勘」、「通小學」三事:

---

2 孫欽善:《中國古文獻學》(北京市:北京大學出版社,2006年5月),第6章第1節〈輯佚與輯佚學〉,頁198。

3 劉兆祐:《文獻學》(臺北市:三民書局,2007年3月),第4章〈文獻的整理〉,頁285。

4 曹書杰:《中國古籍輯佚學論稿》(長春市:東北師範大學出版社,1998年9月),第3章〈輯佚的起源問題〉,頁86。

5 同前註,第4章〈宋元明時期的輯佚〉,頁89-128。

> 經學自兩漢後，越千餘年至國朝而復盛……國朝經師有功於後學者有三事：一曰輯佚書……惠棟教弟子，親授體例，分輯古書。余蕭客《古經解鉤沈》，采唐以前遺說略備。王謨《漢魏遺書鈔》、章宗源《玉函山房叢書》，輯漢魏六朝經說尤多。孫星衍輯馬鄭《尚書注》，李貽德述《左傳》賈服注，陳壽祺喬樅父子考《今文尚書》、《三家詩》。其餘間見諸家叢書，抱闕守殘，得窺崖略，有功後學者，此其一。[6]

皮氏之論述與舉例僅就經學而發，範圍較為狹隘。其後梁任公論清代學術時，亦不忘提到清儒之輯佚：

> 吾輩尤有一事當感謝清儒者，曰「輯佚」。書籍經久必漸散亡，取各史藝文、經籍等志校其存佚易見也。膚蕪之作，存亡固無足輕重；名著失墜，則國民之遺產損焉。乾隆中修《四庫全書》，其書之採自《永樂大典》者以百計，實開輯佚之先聲。……遂使《漢志》諸書、《隋唐志》久稱已佚者，今乃纍纍現於吾輩之藏書目錄中，雖復片鱗碎羽，而受賜則既多矣。[7]

而後梁氏於《中國近三百年學術史》，亦將「輯佚書」列入清代學者整理舊學的重要成績，惟評價褒貶互見：

> 書籍遞嬗散亡，好學之士，每讀前代著錄，按索不獲，深致慨惜，於是乎有輯佚之業。……入清而此學遂成專門之業。……

6　（清）皮錫瑞：《經學歷史》（上海市：上海古籍出版社，1995年，《續修四庫全書》影印清光緒三十二年思賢書局刻本），頁59-63。

7　梁啟超：《清代學術概論》（上海市：商務印書館，1930年4月），頁61-62。

> 總而論之，清儒所做輯佚事業甚勤苦，其成績可供後此專家研究資料者亦不少，然畢竟一鈔書匠之能事耳。[8]

洪湛侯由文獻學史角度出發，認為清代是文獻學的恢復及鼎盛期，具有以下幾種發展特點：

> 一、考據之學勃興
> 二、編纂成果卓著
> 三、印刷技術更新
> 四、金石之學興盛
> 五、校勘成績斐然
> 六、發現珍罕文獻
> 七、辨偽仍在發展
> 八、輯佚風靡一時[9]

由上可知，文獻考據與整理在清代已蔚為風氣，在眾多輯佚活動實踐與輯佚理論研究結合之下，輯佚漸漸成為古籍整理的專門學問。喻春龍認為清代已形成了獨立完整的「輯佚學」：

> 儘管輯佚起源於先秦時期，輯佚理論研究在南宋時取得重大突破，但輯佚作為專門學科，遲至清代才得以形成。清代輯佚學脫胎於乾嘉考據學，大有與清代校勘、辨偽、考證、音韻、訓

---

8 梁啟超：《中國近三百年學術史》（臺北市：里仁書局，1995年2月），〈清代學者整理舊學之總成績二・輯佚書〉，頁366-379。

9 洪湛侯：《中國文獻學新編》（杭州市：杭州大學出版社，1994年5月），第3編第7章〈清（恢復、鼎盛期）〉，頁348-374。

> 詁、目錄等學科鼎足而立之勢。它的成型有三大顯著標誌：一是清人已摸索出一套較為嚴謹的輯佚理論，二是輯佚學界已形成了較為清晰的師承關係，三是清人已明確提出了輯佚為「學」的概念。[10]

喻氏進一步以輯佚方式非常靈活、輯佚方向比較清晰、輯佚方法日漸成熟及考證與輯佚相結合四個面向，具體呈現出清代輯佚學之特色。

第二節　《永樂大典》與古籍輯佚

《永樂大典》[11]是一部明成祖朱棣下令解縉、姚廣孝等編纂的大型類書。初名《文獻大成》，成書於永樂二年（1404），但因時間倉促，多所不備，未能符合上意，遂命重修。自永樂三年（1405）正月開局，至永樂六年（1408）冬十二月纂修完成，22877卷，凡例並目錄60卷（合計22937卷），裝訂為11095冊。[12]惟因卷帙浩繁，成祖時僅繕寫一部。明世宗嘉靖三十六年（1557），奉天、華蓋、謹身三殿火起，世宗命人搶救《大典》，移貯史館。為避免《大典》有失，遂於嘉靖四十一年（1562）下詔重錄。[13]

10 喻春龍：《清代輯佚研究》（上海市：上海古籍出版社，2010年6月），第5章第2節〈輯佚學的形成〉，頁267-278。

11 以下為求行文之簡潔，書名或省稱為《大典》。

12 關於《永樂大典》的成書始末與編纂動機，前人論之甚詳，可參閱郭伯恭《永樂大典考》（長沙市：商務印書館，1938年），第2章〈永樂大典之纂定〉，頁5-15，以及顧力仁《永樂大典及其輯佚書研究》（臺北市：文史哲出版社，1985年9月），第2章〈永樂大典之纂修〉，頁17-60。

13 嘉靖錄副之經過與重錄部數之相關討論，可參閱郭伯恭《永樂大典考》第5章〈永樂大典之錄副〉，頁103-168，以及洪湛侯〈永樂大典嘉隆副本考略〉，《杭州大學學報》第19卷第3期（1989年9月），頁106-113轉頁51。

《大典》全書「用韻以統字，用字以繫事」，依照「事韻」、「詩文」、「姓氏」等專門分類，將各種典籍篇章，全書、全篇或整段依次編入[14]，以達成明成祖「纂集四庫之書及購天下遺籍，上自古初，迄于當世，旁搜博採，彙聚羣分……巨細精粗，粲然明備。其餘雜家之言，亦皆得以附見，蓋網羅無遺，以存考索」的宏願。因所採錄書有「元以前佚文祕典，世所不傳者，轉賴其全部全篇收入，得以排纂校訂，復見于世。」[15]之價值，《大典》成為明清有識者整理文獻的重要取資工具。

（一）四庫館前之《大典》輯佚

著名藏書家傅增湘〈永樂大典跋〉首先提出《大典》輯佚工作肇端於明代：

> 余嘗見明刻《書判清明集》，序中言自《永樂大典》鈔出付梓，是知搜取遺書，明代已啟其端。[16]

杜澤遜教授進一步考證張四維是《大典》輯佚第一人：

> 《永樂大典》主要的用途仍是輯佚與校勘。明嘉靖末年張四維參與重抄《永樂大典》，從中抄出《名公書判清明集》、《折獄

14 〈永樂大典凡例〉：「是書之作，上自古初，下及近代，經、史、子、集與凡道、釋、醫、卜、雜家之書，靡不收采。誠以朝廷制作所關，務在詳備無遺，顯明易考。……凡天文、地理、人倫、國統、道德、政治、制度、名物，以至奇聞異見、庾詞逸事，悉皆隨字收載」。

15 （清）紀昀纂：《欽定四庫全書總目》（臺北市：臺灣商務印書館，影印清乾隆武英殿刻本），卷137，子部類書類存目一〈永樂大典〉。

16 傅增湘：《藏園群書題記》（上海市：上海古籍出版社，1989年6月），頁488。

龜鑑》，當是利用《永樂大典》輯佚書之始。[17]

此後清儒徐乾學、方苞、全祖望諸人，或倡議利用《大典》，或實際進行《大典》輯佚，此即傅氏「其書網羅既富，探索無窮，在當時祇取宮禁舊藏之書，至今日乃多人世罕傳之本，數百年來，好學博聞者多於是取資。」之謂也。[18]

清高宗乾隆元年（1736）三禮館正式設立，纂修三禮義疏。因可參考文獻不多，侍郎李紱提議可取資於《大典》，得到了副總裁方苞之贊同並付諸行動，禮局此舉，實已開日後清代修書各館利用《大典》搜羅文獻之先例。其具體成果之展現，纂修王文清輯得宋代易祓《周禮總義》六卷，以及今日中國國家圖書館尚存當初三禮館臣所錄《大典》禮學文獻稿本五百餘冊。[19]

（二）《四庫全書》與《大典》輯佚

乾隆三十七年（1772）安徽學政朱筠奏請蒐訪遺書，並建議校核《永樂大典》，《大典》終於重新受到官方重視：

---

17 杜澤遜：《文獻學概要》（北京市：中華書局，2008年1月第2版），第9章〈類書與叢書〉，頁236。張昇補苴前說，舉張四維〈刻清明集敘〉、盛時選〈清明集後序〉，以及陳文燭〈折獄龜鑑後序〉諸文獻為證，見張昇《永樂大典流傳與輯佚研究》（北京市：北京師範大學出版社，2010年6月），第3章〈四庫館開館前大典本輯佚〉，頁112-120。

18 關於明代迄清初《大典》輯佚書的詳細情形，可參閱史廣超《永樂大典輯佚述稿》（鄭州市：中州古籍出版社，2009年9月），第1章〈四庫館前大典輯佚〉，頁11-32，以及喻春龍《清代輯佚研究》第3章第1節〈四庫全書開館前的學者輯佚〉，頁108-151。

19 三禮館輯錄《永樂大典》經說之詳情，可參張濤〈三禮館輯錄永樂大典經說考〉，《故宮博物院院刊》2011年第6期（2011年11月），頁98-130轉頁162-163，以及史廣超〈三禮館輯永樂大典佚書考〉，《蘭臺世界》2014年第29期（2014年10月），頁158-159。

臣在翰林，常翻閱前明《永樂大典》。其書編次少倫，或分割諸書以從其類，然古書之全而世不恆覯者，輒具在焉。臣請勅擇取其中古書完者若干部，分別繕寫，各自為書，以備著錄。書亡復存，藝林幸甚！　乾隆三十七年十一月二十五日〈安徽學政朱筠奏陳購訪遺書及校核永樂大典意見摺〉[20]

時隔三個月，經過大學士劉統勳、于敏中等人商議之後，決意先對《大典》進行初步整理：

但查原書採取各種，為數甚夥，其中凡現在流傳已少，不恆經見之書，於各卷中互相檢勘，有足裨補缺遺、津逮後學者，亦間有之。……惟是卷帙繁多，所載書籍又多散列各韻之中，非一時所能核定。相應奏明，容臣等就各館修書翰林等官內，酌量分派數員，令其陸續前往，將此書內逐一詳查。其中如有現在實無傳本，而各門湊合尚可集成全書者，通行摘出書名，開列清單，恭呈御覽，伏請訓示遵行。　乾隆三十八年二月初六日〈大學士劉統勳等奏議覆朱筠所陳採訪遺書意見摺〉[21]

乾隆不但欣然同意，當日立即諭令著辦：

將《永樂大典》擇取繕寫，各自為書一節……特因當時採摭甚博，其中或有古書善本，世不恆見。今就各門，彙訂可以湊合

---

20 中國歷史第一檔案館編：《纂修四庫全書檔案》（上海市：上海古籍出版社，1997年7月），頁21。

21 同前註，頁53。

成部者，亦足廣名山石室之藏。〈乾隆三十八年二月初六日諭〉[22]

二月初十，軍機大臣先檢出《大典》目錄及全書首套各十本進呈御覽後，乾隆又接連降旨增員擴大辦理：

著再添派王際華、裘曰修為總裁官，即令同遴簡分校各員，悉心酌定條例，將《永樂大典》詳悉校核。〈乾隆三十八年二月十一日諭〉[23]

大學士劉統勳等議奏校辦《永樂大典》條例一摺，奉旨：是。依議。將來辦理成編時，著名《四庫全書》。〈乾隆三十八年二月二十一日旨〉[24]

近允廷臣所議，以翰林院舊藏《永樂大典》，詳加別擇校勘，其世不經見之書，多至三四百種，將擇其醇備者付梓流傳，餘亦錄存彙輯，與各省所採及武英殿所有官刻諸書，統按經史子集編定目錄，命為《四庫全書》。俾古今圖籍，薈萃無遺，永昭藝林盛軌。乾隆三十八年三月二十八日〈諭內閣傳令各督撫予限半年迅速購訪遺書〉[25]

朱筠奏請訪購遺書、校核《永樂大典》的意見，最後俱告落實。乾隆三十八年（1773）正式設置四庫全書館修書處，陸續網羅邵晉涵、周永年、戴震等知名學者，展開《大典》輯佚工作，並同時於全國各地

22 同註15，卷首一〈聖諭〉。

23 同前註。

24 同前註。

25 同註20，頁67。

廣徵圖書，包括各省採進與私人進獻，由輯佚《大典》遺書進一步擴展為大型叢書之編纂。

總觀四庫全書所據書本的來源，大致可分為內府本、永樂大典本、各省總督巡撫鹽政等採進本、私人進獻本、內府刊本及通行本。[26]據孫馮翼統計，四庫館臣輯佚《永樂大典》的數量，最後《四庫全書》共著錄388種，存目128種，合計達516種。以著錄部分計算，《大典》本已超過《四庫全書》書籍收錄總數的十分之一[27]，這樣的成果可謂十分豐富。顧力仁論及四庫《大典》輯本的優點有三：一、著錄存目去取之嚴謹；二、逸書真偽之辨證精覈；三、提要敘錄之精博。[28]

可惜因《四庫全書》辦理時間倉促，缺失亦屬難免。顧力仁分析四庫《大典》輯本缺失的原因為三點：一、《大典》本身之缺陷；二、四庫館臣之怠忽；三、高宗欲速成而加程限。其缺失具體內容則包括了：一、漏輯；二、漏校；三、誤輯；四、刪削改竄；五、不守輯佚體制。[29]

（三）《大典》輯佚的尾聲

《四庫全書》完成後，《大典》的文獻價值已為世儒廣知，可惜館臣多抱持仰尊聖裁、貶抑前朝的心態輕視《大典》：

---

26 劉兆祐：《中國目錄學》（臺北市：五南圖書公司，2002年3月第二版），第3章第4節〈四庫全書總目〉，頁283-285。

27 著錄388種（經70、史41、子102、集175），存目128種（經9、史38、子71、集10）。此數目以《四庫全書總目》題「永樂大典本」為計，歷來學者之統計數字間有異同，可參考史廣超：〈諸家所論四庫館輯大典佚書數量表〉，《永樂大典輯佚述稿》，頁154。《四庫全書》收錄總數達3457種，採任松如《四庫全書答問》之說。

28 見《永樂大典及其輯佚書研究》，頁338-339。

29 同前註，頁317-336。吳哲夫總論《四庫全書》之缺失有五：人為疏失脫誤叢生、政治意圖資料失真、版本異同考覈未實、輯佚校補未能盡善以及選書態度未臻公允，參見《四庫全書纂修之研究》第10章，頁276-302。

> 其書割裂龐襍，漫無條理。……今仰蒙指授，裒輯成編者……菁華已採，糟粕可捐，原可置不復道，然蒐羅編輯，亦不可沒其創始之功。故附存其目，併具載成書之始末，俾來者有考焉。[30]

《大典》被列入四庫存目，原帙仍藏於翰林院，乏人問津。再次被利用，是在清仁宗嘉慶十三年（1808），下詔開館編修《全唐文》。當時館臣徐松、法式善等人於公職之餘，亦以私人身分自《大典》輯錄相關資料，如徐松輯有《宋會要》、《中興禮書》《續編》與《河南志》，法式善則輯得《尤延之集》、《稼軒集鈔存》。[31]而後中原板蕩，隨著《大典》逐漸散佚，大規模從事《大典》輯佚的活動再不復見，只有零星私人輯佚的成績。[32]

第三節　歷來研究成果

《永樂大典》相關研究的專書與單篇論文，目前已累積了極為豐富的成果，呈現在以下幾個面向：

1.《大典》總論研究：

郭伯恭《永樂大典考》

張忱石《永樂大典史話》

郝艷華《永樂大典史論—六百年來的流傳整理與研究》

---

30 同註15。

31 詳參《永樂大典輯佚述稿》第3章〈全唐文館大典輯佚〉，頁185-237。

32 如張穆、文廷式、繆荃孫等，具體的輯佚成果參見《永樂大典及其輯佚書研究》附表十三〈四庫館迄今之永樂大典輯校年表〉，頁341-349，及《永樂大典輯佚述稿》附錄七〈全唐文館後大典輯佚書目〉，頁365-396。

繆荃孫〈永樂大典考〉
李正奮〈永樂大典考〉
袁同禮〈永樂大典考〉
孫壯〈永樂大典考〉
王重民〈永樂大典的編纂及其價值〉
昌彼得〈永樂大典述略〉
于大成〈永樂大典與大典學〉

2.《大典》流傳研究：
袁同禮〈永樂大典現存卷目表〉
岩井大慧〈袁氏永樂大典現存卷目表補正〉
白化文〈探查永樂大典正本的倡議〉
洪湛侯〈永樂大典嘉隆副本考略〉

3.《大典》纂修人研究：
王重民〈永樂大典纂修人考〉
朱鴻林〈永樂大典纂修人考補〉
曹之〈永樂大典編纂考略〉
張金梁〈永樂大典纂修人研究〉

4.《大典》輯佚及其內容研究：
蘇振申《元政書經世大典之研究》
馬蓉等點校《永樂大典方志輯佚》
張國淦《永樂大典方志輯本》
蒲霞《永樂大典安徽江北方志研究》
錢南揚校注《永樂大典戲文三種校注》
趙萬里〈永樂大典內輯出之佚書目〉
羅新〈永樂大典所錄湖北方志考〉
黃燕生〈永樂大典杭州方志輯考〉

王國維〈永樂大典本水經注跋〉
范行準〈述現存永樂大典中的醫書〉
嚴敦杰〈跋重新發現之永樂大典算書〉
胡可先〈永樂大典所引杜甫詩輯考〉
孔凡禮〈見於永樂大典的若干宋集考〉
唐圭璋〈從永樂大典中輯出直齋書錄解題所載之詞〉
周泳先〈永樂大典所收宋元人詞補輯〉
趙維國〈永樂大典所存宋人劉斧小說集佚文輯考〉

5.《四庫全書》與《永樂大典》:

賀嘉璇《四庫全書經部「永樂大典本」考略》
劉昕曄《四庫全書史部「永樂大典本」研究》
曹書杰〈四庫全書采輯永樂大典本數量辨〉
鄧筑芬〈論四庫全書中的永樂大典本〉
劉倩〈論四庫全書中永樂大典本的誤輯問題〉

6.《大典》殘存內容索引:

欒貴明編《永樂大典索引》
衣川強編《永樂大典索引》

以下就本書之研究重點──《大典》輯佚，介紹幾部前人研究重要成果，以資借鏡:

1. 顧力仁《永樂大典及其輯佚書研究》:文史哲出版社1985年9月出版，收入文史哲學集成。此書全面討論永樂大典輯佚問題，資料豐富，引證詳密。文分編前、甲編、乙編與編後，共十章三十一節，全書逾二十五萬字。甲編論《大典》之纂修及其內容，包括纂修動機與過程、纂修人補略與《大典》錄副及其沿革。乙編論《大典》於輯佚學上之貢獻及其價值，包括清乾隆四庫館之《大典》輯佚及輯本對學術之貢獻。同時編製了〈永樂大典纂修人索引〉、〈永樂大典存本待輯書目〉、〈四庫館迄今之永樂大典輯校年表〉等資料，有利學術研究。

2. 史廣超《永樂大典輯佚述稿》：中州古籍出版社2009年9月出版。此書為作者博士論文修訂版，在清代學術背景下論述《永樂大典》的輯佚歷程與得失，包括四庫館前《大典》輯佚、四庫館《大典》輯佚與全唐文館《大典》輯佚。另編有〈永樂大典書目殘本〉、〈四庫館大典輯佚書目〉、〈全唐文館大典輯佚書目〉與〈全唐文館後大典輯佚書目〉等附錄。

3. 張昇《永樂大典流傳與輯佚研究》：北京師範大學出版社2010年6月出版，收入北京師範大學史學探索叢書。此書集結作者近十年來的研究成果，包括《大典》正、副本的流傳與《四庫全書》大典本輯佚。另編有〈永樂大典現存卷目表〉、〈現存永樂大典零葉〉、〈永樂大典待訪卷目表〉等附錄。

4. 丁治民《永樂大典小學書輯佚與研究》：北京商務印書館2015年4月出版，收入國家哲學社會科學成果文庫。此書為作者浙江大學中國語言文學博士後研究成果修訂版，上編〈輯佚〉收錄25種所輯小學書材料，下編〈問學〉收錄13篇作者近年來發表於期刊、研討會的單篇論文。

第四節　研究內容與步驟

（一）研究內容

《永樂大典》依《洪武正韻》韻部分列單字，而引用小學書[33]之體例，是每字下先註明《洪武正韻》反切，接著引用歷代小學類典籍

33 「小學書」一詞見《集韻・韻例》：「今所撰集，務從該廣，經史諸子及小學書，更相參定。」意指今日經部小學類的字書、韻書及訓詁書。

的內容，說解文字的形、音、義，最後列出此字的篆、隸、草、行各種書體。〈永樂大典凡例〉云：

> 一、音韻訓釋，諸家之說，詳略不同，互有得失，唯國朝《洪武正韻》，一以中原雅音而無偏駁之失。今以《正韻》為主，先翻切，次訓義，諸家之說，並附於下如徐鍇《通釋》、丁度《集韻》之類。或一字有數音，而訓釋有數義，如數去聲數入聲、令平令去、長平長上之類，各詳其音釋，其《五音集韻》及《篇海》諸書所增諸字，併收於後。
>
> 一、字書體制，古今不一，如鐘鼎盤杅鑄刻，及蟲魚科斗篆隸，散在各書，難於辨識。今皆不拘同異，隨字備收，而鍾、王以後諸家行草諸書，亦備其體。

關於《大典》引用小學書之研究，顧力仁於《永樂大典及其輯佚書研究》第五章，已有初步考證。據顧氏研究所得，小學類引用書共計47種：

一、訓詁之屬四部：

《爾雅》

《小爾雅》

《方言》

《釋名》

二、字書之屬二八部：

《說文解字》

《玉篇》

《說文解字通釋》

《五經文字》

《九經字樣》

《干祿字書》

《佩觿》

《類篇》

《復古編》

《漢隸字源》

《廣干祿字書》

《通志六書略》

《字通》

《篆韻》

《集篆古文韻海》

《龍龕手鑑》

《六書類釋》

《正字韻綱》

《六書故》

《六書統》

《六書正譌》

《漢隸分韻》

《說文續釋》

《聲音文字通》

《字滲博義》

《草書集韻》

《存古正字》

《孫氏字說》

三、音韻之屬十五部

《廣韻》

《唐韻》

《宋重修廣韻》

《集韻》

《韻補》

《增修互註禮部韻略》

《增修校正押韻釋疑》

《正始音》

《五音集韻》

《五音類聚》

《五音篇海》

《古今韻會》

《古今韻會舉要》

《韻會定正》

《精明韻》

顧氏所考，已大致呈現《大典》於小學書之引用情形，惟仍有兩點可資補充：

一、據今日《大典》殘卷及筆者所考，尚有《說文解字五音韻譜》、《二十體篆》、《五書韻總》、《增廣鐘鼎篆韻》、《韻府群玉》、《經史字源韻略》等書，顧氏未論及。[34]

二、顧氏以為「《韻會訂正字切》亦省稱《韻會定正》」，然《韻會定正》、《韻會定正字切》實為二書。又如《存古正字》，顧氏云「各家書目不載」，今檢《文淵閣書目》、錢溥《秘閣書目》、葉盛《菉竹堂書目》與謝啟昆《小學考》，皆見著錄。

《大典》所引用小學書，習見者（如《爾雅》、《說文》、《廣

34　《永樂大典》徵引小學書詳目，參見本書附錄〈永樂大典所引小學書一覽表〉。

韻》）今日多有宋元善本傳世，相關研究專著亦多。本書以數部當日未得四庫館臣留心輯錄之小學書為主要研究內容，藉今日殘存之《大典》補苴鉤沉，略事考據董理，期有保存文獻之微功。

（二）研究方法與步驟

劉琳、吳洪澤詳細引證並解說了輯佚的過程，應包含以下幾道工序：

> 調查　在動手輯佚之前，對所輯之書以及有關的問題進行 全面的調查研究，以期對原書有充分的了解，為輯佚作好準備。
>
> 搜集　通過普查，將現存文獻中所有需要輯錄的佚文全部收集起來，輯錄出來。這是收集材料的階段。
>
> 一、收集佚文務求齊備，避免漏收
>
> 二、輯錄佚文務求真確，避免誤收
>
> 三、輯錄佚文務須核除重複，避免重收
>
> 整理　佚文素材收集起來之後，下一步就是要將這些佚文的文字進行科學整理。整理的總要求是準確，就是說，要盡可能使所錄佚文在文字上符合原文的本來面貌。
>
> 一、直錄
>
> 二、歸併
>
> 三、分條
>
> 四、綴合
>
> 五、兼存
>
> 六、還原
>
> 七、補意

編排　所輯錄的佚文逐條逐篇整理好之後，下一步就是編排。編排的要求是科學合理。編排的方式可以歸納為以下幾類：一是按原書體例編排；二是用輯佚者自訂的方式編排；三是以上二者的結合；四是附錄。

標注出處　注明出處的作用，一則表明所輯的佚文的根據和真實性，二則便於讀者按圖索驥，反查原書，以利於檢查和研究。

一、詳明

二、準確[35]

學者孫欽善也提出輯佚的四種基本方法，節引如下：

古今學者在不斷的輯佚實踐中，積累了豐富的經驗，對輯佚的方法也有所總結。歸納起來輯佚的基本方法主要有以下幾項：一、探尋佚文的線索和淵藪：這實際是一個尋求輯佚資源的問題，前人也已有所總結。……探尋佚文的線索和淵藪，確定有關的查考、輯錄文獻，是輯佚的起始，也是從大方向上保證做到不漏的關鍵一步。……二、考察佚文的是否、正誤、真偽、歸屬、完缺：確定輯佚的查考文獻以後，再進一步選擇好的本子作輯佚底本，這一點至關重要，直接關係到所輯佚文的質量。……三、準確地輯錄、綴合、編次佚文：準確輯錄，包括不漏、不誤。……四、準確地詳注佚文出處：所輯佚文必須詳注出處，包括注明作者、書名、卷數、篇名等，必要時還要注

35 劉琳、吳洪澤：《古籍整理學》（成都市：四川大學出版社，2003年7月），第7章第2.3節〈輯佚的步驟與方法〉，頁254-290。

> 明版本。這是一個原則問題，直接關係到輯佚的質量和水平，直接影響到輯佚成果的可信程度，必須十分重視。[36]

確定以《永樂大典》所引小學書之輯佚及整理為研究主題後，逐步執行以下研究步驟：

1. 確定今日殘存《大典》的數量：首先以目前海峽兩岸出版之三種《永樂大典》，作為文獻整理的底本，包括了臺灣大化書局所出版《永樂大典》、北京市中華書局所出版的《永樂大典》，以及上海辭書出版社《海外新發現永樂大典十七卷》，以期取得最完整的研究內容。
2. 採擇每韻字頭，輯出小學類典籍佚文：依據《大典》「用韻以統字，用字以繫事」之編輯性質，逐卷檢閱《大典》，擇取每一字頭下引用歷代字書、韻書說解部分，作窮盡式的輯佚，同時並檢查文集、類書及元明以來小學書，得到本次研究所需要的佚文。為避免人為遺漏疏失，借助了欒貴明所編《永樂大典索引》[37]，並利用「中國類書庫」所收錄的《永樂大典》，進行各書佚文重複校覈，確保研究資料的完整與正確。[38]
3. 分析佚文，呈現研究成果：將所輯得小學書佚文資料，分為字書、韻書兩大部分，展開分析工作。首先排比佚文，並佐以他書所引，以求輯佚內容之完善，逐條註明徵引出處並考訂內容（正

36 同註2，第6章第3節〈輯佚的基本方法〉，頁202-207。

37 欒貴明：《永樂大典索引》（北京市：作家出版社，1997年10月）。

38 曹林娣綜合考察清儒及今人的輯佚方法，主要有：1. 從唐宋類書中搜輯佚書 2. 從諸史及總集中搜輯 3. 從古注中搜輯 4. 從方志中搜輯 5. 從敦煌遺書、佛道經書和不斷發現的古代實物遺存中搜輯 6. 利用前人輯佚成果 7. 利用現有數位化的研究成果 8. 輯佚成果的發表方式。見《古籍整理概論》（北京市：北京大學出版社，2007年1月），第11章第1節〈輯佚常用的方法〉，頁222-225。

其訛誤、補其脫漏）[39]；其次詳參公私書目、題跋及方志，考其作者、成書時代與篇卷次第，盡力恢復原書面貌[40]；最後總結研究所得，撰成各書敘錄。[41]

---

39 郭國慶歸納清代輯佚凡例，提出「佚文的查檢」有：1. 查檢範圍的時間限斷 2. 考師承家法 3. 分析書名的演變 4. 分析同人異稱 5. 運用比較法確認佚文 6. 非彼即此推論法 7. 以文辭義例推循 8. 據注補佚文 9. 據佚書通例補佚文 10. 在讀書過程中積累佚文共十種體例。而「佚文的取捨」有：1. 佚文取捨的原則 2. 明引者直錄原文 3. 數書並引擇善而從 4. 數書並引注明異同 5. 數書並引綴合為一 6. 數書並引異者并收 7. 數書並引異同兼采等七種體例，見《清代輯佚研究》（北京市：民族出版社，2011年12月），第2章〈清代輯佚凡例考〉，頁85-111。

40 梁啟超論輯佚書優劣之標準有四，約引其說如下：「（一）佚文出於何書，必須注明，數書同引，則舉其最先者。能確遵此例者優，否者劣。（二）既輯一書，則必求備。所輯佚文多者優，少者劣。……（三）既須求備，又須求真。若貪多而誤認他書為本書佚文則劣。……（四）原書篇第有可整理者，極力整理，求還其書本來面目，雜亂排列者劣。」參見《中國近三百年學術史．清代學者整理舊學之總成績二．輯佚書》，頁378。

41 郭國慶舉清人余蕭客《古經解鉤沉》、王謨《漢唐地理書鈔》的研究成果為例，認為輯本的附錄包括序、跋、敘錄、目錄、凡例等，見《清代輯佚研究》第2章〈清代輯佚凡例考〉，頁134。

第二章
《永樂大典》所引字書鉤沉

本章據成書時代先後，依次輯錄《永樂大典》所引字書：姚敦臨《二十體篆》、婁機《廣干祿字書》、李鎏《存古正字》、倪鏜《六書類釋》、吾衍《說文續釋》、《隸韻》以及《字滚博義》。

第一節　《二十體篆》

一　提要

《二十體篆》　永樂大典本

宋姚敦臨撰。敦臨字公儀，江左德興人。善篆書，據《游宧紀聞》所載，秦會之當軸時，令敦臨作此書，上表以進，許授以文資。未降旨間，會之招飲，姚喜，忘其敬，不覺振股，以此惡之。尋得旨，令充樞密院效士，辨驗篆文而已。書名一作《二十家篆孝經》、《篆書二十體》，《文淵閣書目》已云「闕」，今自《永樂大典》輯得篆形十六種，字體三十三，沈仲昌「寶帶篆」篆形唐宋法書未見，《大典》所引有保存篆形之功；「變古篆」一名歷來書籍未見，尚待續考。

二　著錄

姚氏之書私家藏書目均未見，僅著錄於以下三部明代書目，且不著撰人：

《文淵閣書目・辰字號第一廚書目・法帖》：

《篆書二十體》一部一冊闕。[1]

《秘閣書目・法帖》：

《篆書十二体》一。[2]

《菉竹堂書目・法帖》：

《篆書二十體》一冊。[3]

三　佚文[4]

本節輯得《二十體篆》篆形16種，字體33個。據宋代朱文長《墨池編》[5]「字學門」所載，具備字體名與闡釋之篇章，以唐代玄度

1 （明）楊士奇等編：《文淵閣書目》（北京市：書目文獻出版社，《明代書目題跋叢刊》影印清顧修輯《讀畫齋叢書》本），卷13。

2 （明）錢溥：《秘閣書目》（臺南市：莊嚴出版社，《四庫全書存目叢書》影印清鈔本）。

3 （明）葉盛：《菉竹堂書目》（臺南市：莊嚴出版社，《四庫全書存目叢書》影印清初鈔本）。

4 關於《二十體篆》之研究，筆者與連蔚勤學弟已聯名發表〈《永樂大典》所引《二十體篆》研究〉一文，收錄於《漢學研究集刊》第16期（2013年6月），頁89-116。該文中對所輯雜體篆與唐宋以來材料比對有深入討論，由連君執筆，考證精詳。筆者今不敢掠美，只取期刊中筆者所負責佚文輯佚與文獻梳理部分，增補改寫為本節，特此說明。

5 （宋）朱文長：《墨池編》（臺北市：新文豐圖書公司，《石刻史料新編》第4輯影印明萬曆八年刊本）。

〈十體書〉[6]與唐代韋續〈五十六種書〉[7]為最早。以下據〈十體書〉、〈五十六種書〉、北宋夢英〈集篆十八體書碑〉[8]及清代孫枝秀輯《篆書百體千文》[9]，分類輯錄如後：

(一) 古文篆

〈十八體書碑〉：

> 古文者，黃帝史蒼頡之所作。頡首有四目，通於神明。仰觀奎星圓曲之勢、俯察龜文鳥跡之象，采眾美合而為字。故曰「古文」。〈孝經援神契〉云：「奎生文章，蒼頡倣象」是也。自秦用小篆，焚燒先典，古文絕矣。武帝時魯恭王壞孔子宅壁，得古文尚書，自後隨世變易，已成數體矣。

頌、古文篆　卷540
廣、蒼頡古文篆　卷11903
著、古文　卷14545

(二) 大篆

〈五十六種書〉：

---

6 收錄於《墨池編》中。〈十體書〉今未見篆形，僅有文字敘述。

7 （唐）韋續：《墨藪》（臺北市：臺灣商務印書館，影印《文淵閣四庫全書》冊812），〈五十六種書〉今未見篆形，僅有文字敘述。

8 （宋）釋夢英：《夢英十八體篆書》（廣東經濟出版社、深圳海天出版社，《西安碑林全集》碑刻），卷26，以下簡稱為《十八體書碑》。

9 （清）孫枝秀輯：《歷朝聖賢篆書百體千文》（和刻本，日本早稻田大學圖書館藏），以下簡稱為《篆書百體千文》。

十五、大篆書，周宣王史史籀所作也。亦曰籀篆，《石鼓文》是也。

〈十八體書碑〉：

大篆者，周宣王太史史籀之所作。始變古文，或同或異，謂之為篆。篆者，傳也，傳其物理，施之無窮。甄豐定六書：「三曰篆書」。八體書法，「一曰大篆」。又《漢書・藝文志》「史籀十五篇」，竝此也。以史官製之，用以教授，謂之史書，凡九千字，漢元帝、王遵、嚴延季，竝工史書是也。

成、大篆　卷8022
精、史籀大篆　卷8526
廣、見史籀大篆　卷11903[10]
壹、　史籀大篆卷20309

(三) 小篆

〈十體書〉：

小篆，秦丞相李斯所造，妙於篆法，乃刪改史籀大篆而為小篆，其銘題鐘鼎及作符璽，至今用焉，為楷隸之祖，乃不易之軌也。

10 考諸《大典》徵引《二十體篆》之例，於篆形之下均直言「史籀大篆」、「曹喜懸針篆」等篆體名稱，「見史籀大篆」之「見」字當為衍文。

〈五十六種書〉：

十八、小篆，周時所作，漢武帝得汾陰鼎，即其文也。二十五、小篆書，李斯刪古文作也。始皇以祈禱名山，皆用此書。

〈十八體書碑〉：

小篆者，秦相李斯之所作。增損大篆，異同籀文，謂之「小篆」，亦曰「秦篆」。畫如鐵石，字若飛動，作楷隸之祖，為不易之法，其名題鐘鼎及作符印，至今用焉。「受命於天，既受永昌」等，即李斯之小篆也。

興、[illegible]小篆　卷7960
成、[illegible]小篆　卷8022

(四) 薤葉篆

〈十體書〉：

倒薤篆，仙人務光辭湯之禪，隱於清冷之陂，植薤而食，清風時至，見葉交偃，象為此書，以寫〈太上紫經〉三卷，光遂遠遊，時有得此者，因傳焉。

〈十八體書碑〉：

薤葉篆者，僊人務光之所作。務光辤湯之禪，去往冷清之陂，植薤而食。輕風時至，見其精葉交偃，則而為書，以寫〈紫真經〉三卷，見行於世。其為狀也，若翕風遠望、寒雲片飛，世絕人學矣。

兵、薤葉篆　卷8275

(五) 懸針篆

〈十體書〉：

懸針，後漢章帝建初中祕書郎曹喜所造，喜工篆隸著名，尤善垂露之法，後代行之，用此以書題《五經》篇目。

〈五十六種書〉：

四十、懸針篆，亦曹喜所作。有似針鋒，因而名之，用題《五經》篇目。

〈十八體書碑〉：

懸針篆者，漢章帝郎中扶風曹喜之所作也。用題五經篇目，纖抽其勢，有若針之懸鋒也，故曰「懸針」。〈河洛遺誥〉云：「懸針之書，亦出曹喜。小篆為質，垂露為紀。題署五經，印其三史。以為楷則，傳芳千祀。」懸針即曹君為祖。

友、曹喜懸針篆　卷12015

(六) 垂露篆

〈十體書〉:

垂露，漢曹喜所造，喜以工篆聞於京師，章帝見而善之。又作垂露法，字如懸針而勢不纖阿那，若濃露之垂。

〈五十六種書〉:

三十九、垂露篆，漢章帝時曹喜所作也。

〈十八體書碑〉釋曰：

垂露篆者，漢章帝郎中扶風曹喜之所作，以書章表奏事。謂其點綴如輕露之垂條、累垂欲落之象，故云「垂露」。漢章帝甞重此書，懸帳內，謂言：曹喜之書，如金盤瀉珠、風篁雜雨，八法玄妙，一字千金矣。

尊、垂露篆　卷3582
著、垂露篆　卷14545
服、曹喜垂露篆　卷19785

(七) 科斗篆

〈五十六種書〉:

六、科斗書因科斗之名，故飾之以形。不知年代，或云顓頊高陽氏所製，今古文是也。

〈十八體書碑〉：

科斗篆者，其流出於〈古文尚書序〉費氏注云：「書有二十法」，「科斗書」是其一也。以其小尾伏頭，似蝦蟇子，故謂之「科斗」。

廣、費氏科斗篆　卷11903

(八) 疊篆

《宋史．輿服志六》：

徽宗崇寧五年，有以玉印獻者。印方寸，以龜為鈕，工作精巧，文曰「承天福延萬億永無極」。徽宗因次其文，倣李斯蟲魚篆作寶文，其方四寸有奇，螭鈕，方盤，上圓下方，名為「鎮國寶」。大觀元年，又得玉工，用元豐中玉琢天子皇帝六璽，疊篆。

《明史．輿服志四》：

百官印信。洪武初，鑄印局鑄中外諸司印信……以上俱直紐，九疊篆文。初，雜職亦方印，至洪武十三年始改條記。

終、疊篆　卷489

（九）雕虫篆

〈五十六種書〉：

> 二十二、蟲書，魯秋胡婦浣蠶所作，亦曰雕蟲篆。

〈十八體書碑〉：

> 雕蟲篆者，魯秋胡妻之所作。秋胡隨牒遠仕，荏苒三季。鳴垤有懷，春居多思，桑時閑翫，集為此書，亦云「戰筆書」。其體遒健，垂畫纖長，旋繞屈曲，有若蟲形。其為狀則玄鳥優遊、落花散漫矣。

服、秋胡雕虫篆　卷19785
壹、秋胡雕虫篆　卷20309

（十）芝英篆

〈五十六種書〉：

> 三十三、芝英書，漢武代有靈芝三，植於殿前，遂歌芝房之曲述焉。又名英芝。

〈十八體書碑〉：

> 芝英篆者，漢陳遵之所作。陳氏每書，一座皆驚，旹人謂之「陳驚座」。昔六國各以異體之書，潛為符信，則芝英興焉。秦

> 焚邱典，其文煨滅。在漢中葉，武帝臨朝，爰有靈芝三本，植於殿前。既歌芝房之曲，又述芝英之書焉，陳氏即芝英之祖。

尊、芝英篆　卷3582
成、芝英篆　卷8022
職、芝英篆　卷20478

(十一) 柳葉篆

〈十八體書碑〉：

> 柳葉篆者，衛瓘之所作。衛氏三世工書，善乎數體，溫故求新，又為此法。其跡類薤葉而不真，筆勢朙勁，莫能傳學。衛氏與索靖竝師張芝，索靖得張芝之肉，衛瓘得張芝之觔，故號『一臺二妙』。

終、　竝柳葉篆　卷489
語、柳葉篆　卷14464

(十二) 垂雲篆

〈十八體書碑〉：

> 垂雲篆者，衛恒之所作。軒轅之代，慶雲常現，其體郁郁紛紛，為書紀軄。文字之興，取諸為象。〈書品〉云：「衛恒書，如搖華美女、舞笑鏡臺，筆動若飛，字張如雲，莫能傳學。」衛氏即垂雲之祖。

制、垂雲篆　卷13496

（十三）剪刀篆

〈十八體書碑〉：

剪刀篆者，韋誕之所作，亦曰「金錯書」。夲古之錢名，周之泉府，厥跡不存，降茲以還，其文可覩，若漢之銖兩、新之刀布，今具存焉。其為體，狀若麗匣盤龍、新臺舞鳳，自後，史游深造其極焉。

廣、韋誕剪刀篆　卷11903

（十四）瓔珞篆

〈十八體書碑〉曰：

瓔珞篆者，後漢劉德昇之所作也。因夜觀星宿而為此法，特乃存古之梗槩、變隸之規蹤。體類科斗而不真、勢同迴安安鸞而宏逸。天假其法，非學之功。雖諸家之法悉殊，而此書最為首出。後漢儒生，曾皆攻學。

成、瓔珞篆　卷8022
廣、劉德昇瓔珞篆　卷11903

（十五）寶帶篆

《篆書百體千文》：

唐仲昌以此體上，賜烏程縣令，書韋承慶善政碑。

終、 並寶帶篆　卷489

死、寶帶篆　卷10309[11]

服、沈仲昌寶帶篆　卷19785

(十六) 變古篆

興、變古篆　卷7960

四　考證

姚敦臨其人正史未見，相關事蹟惟南宋張世南《游宦紀聞》所載最為詳細，其文曰：

> 秦會之當軸時，幾務之微瑣者，皆欲預聞，此相權之常態，然士夫投獻，必躬自披閱，間有去取。吾郡德興士人姚敦臨字公儀能篆書，秦喜之，令作《二十家篆孝經》，上表以進，時紹興十一年二月十九日也。許授以文資，未降旨間，會之招飲，姚喜，忘其敬，不覺振股，以此惡之。尋得旨，令充樞密院效士，辨驗篆文而已。[12]

元代陶宗儀《書史會要》亦有記載，但不過寥寥數字，更將姓名姚敦臨誤省為姚敦：

11　此條《大典》書名誤作「二十四體篆」，「四」字當為衍文。

12　(宋) 張世南：《游宦紀聞》(臺北市：新文豐圖書公司，《叢書集成新編》文學類冊87)，卷6。

姚敦字公儀，江左人，潛心篆學，得前古遺意。[13]

據上引兩段文字，吾人可略知姚氏生平大要：姚敦臨字公儀，南宋江左德興（今江西省德興縣）人，活動時間約在南宋高宗孝宗年間。能篆書，故頗受秦檜賞識，原許授以文資之職，可惜姚氏於秦檜設宴招飲時過於得意忘形，反招致秦氏厭惡，最後得旨令充樞密院效士，辨驗篆文而已。

至於書名問題則頗為龐雜，《游宦紀聞》引作《二十家篆孝經》，《永樂大典》引作《二十體篆》，其後《文淵閣書目》、《秘閣書目》皆著錄為《篆書二十體》。今試參考《游宦紀聞》所引書名，將所輯佚文條目與《孝經》內文作比對，發現十五條佚文所引之字，除了「壹」字未見《孝經》之外，其餘十四字俱見於今本《孝經》。因此，筆者認為此書應是用二十種不同篆體書寫《孝經》內容，性質或與《三體陰符經》[14]、《廿體千字文》[15]等書相近，《永樂大典》與兩書目所載書名或為省稱。可惜文獻不足徵，無法進一步深入討論，本文於書名姑仍據《永樂大典》定作《二十體篆》。

本節輯得《二十體篆》篆形16種，已佔原書篆形總數的五分之四，當可略窺其書之要。而所輯篆形之價值有：

（一）保存「寶帶篆」篆形：《二十體篆》「終」、「死」、「服」三字錄有沈仲昌寶帶篆四體：，唐宋以來〈五十六種書〉、〈十八體書碑〉、《三十二體金剛經》均未論及寶帶篆及其創制者，《永樂大典》所引實有保存雜體篆篆形之功。

---

13 （明）陶宗儀：《書史會要》（臺北市：臺灣商務印書館，影印《文淵閣四庫全書》冊814），卷6，頁52上。

14 宋太祖乾德四年（966），郭忠恕寫篆、隸、真三書，今陳列於山西省博物館碑林。

15 （清）孫丕顯輯：《廿體千字文》（日本延寶七年京都井筒屋六兵衛刊本，日本早稻田大學圖書館藏）。

（二）「變古篆」尚待續考：《二十體篆》錄有「興」字變古篆一體，為歷來書籍未見，將來若能發現有同名之篆，或筆法相同之形體，當可進一步整理出其特徵，釐清是否確有變古篆一體，抑或實有此體而名稱有誤。

（三）一脈相承，契合度高：「雜體篆」形體雖多變，但基本結構未變，是以早自戰國時期之鳥蟲書，歷經魏晉南北朝之鼎盛，唐宋之發展而直至清代，雜體篆之發展雖日益繁多，各家所錄有增有減，然主要形體幾未變動。《二十體篆》大多數之雜體篆都見於其前後之書籍，儘管部分雜體篆名稱有異，但內容實質多未改變，此等高度契合性，正表現出《二十體篆》與各書一脈相承之關係，亦可為兩宋間流行之雜體篆再添一新研究對象。

第二節 《廣干祿字書》

一 提要

《廣干祿字書》五卷 永樂大典本

宋婁機撰。機有《漢隸字源》、《班馬字類》，《四庫全書》經部小學類已著錄。機熟於小學，嘉泰中教授資善堂，景獻太子時為惠國公，數問字畫之異。機乃取許慎《說文》及諸家字書，按以張參《五經文字》、田放《九經字樣》與子史古字，參以丁度《集韻》為《廣干祿字書》，蓋廣唐人顏元孫之書。凡一字數義、一義數字，校其同異，並載本源，總為字七千六百。書成，景獻喜，命戴溪跋之。原書不存，《文淵閣書目》已云「闕」，今自《永樂大典》輯得佚文七十條，釐為五卷，可為宋人字樣學研究之一助。

二　著錄

《廣干祿字書》於《宋史・藝文志》已著錄：

> 婁機《班馬字類》二卷。《漢隸字源》六卷。《廣干祿字書》五卷。《古鼎法帖》五卷。[16]

《直齋書錄解題》記其撰著之由：

> 機熟于小學，嘉泰中教授資善堂，景獻時為惠國公，數問字畫之異，因為此書。續唐之舊，故仍干祿之名，繼而悟其非，所以施於朱邸也，則以「干祿百福」之義傅會焉。[17]

《玉海》載錄此書之卷數、內容大要與總收文字數：

> 婁機《廣干祿字書》五卷。參校字書，凡一字數義、一義數字，校其同異，並載本源，總為字七千六百。[18]

《文獻通考》引《中興藝文志》記此書曰：

> 機取許慎《說文》及諸家字書，按以蔡伯喈《五經備體》、張參《五經文字》、田放《九經字樣》與夫《經典釋文》、子史古

---

16 （元）脫脫等修：《宋史》（北京市：中華書局，1977年11月），卷202。
17 （宋）陳振孫：《直齋書錄解題》（上海市：上海古籍出版社，1987年12月），頁94。
18 （宋）王應麟：《玉海》（清光緒九年浙江書局重刊本），卷45〈唐干祿字書〉。

字，參以本朝丁度所書《集韻》為《廣干祿字書》，蓋廣唐人顏元孫之書也。[19]

明代論及此書的書目與方志有以下數部：
《文淵閣書目・昃字號第一廚書目・韻書》：

《廣干祿字書》一部五冊，闕。

《秘閣書目・韵書》：

《廣干祿字書》五。

《菉竹堂書目・韻書》：

《廣干祿字書》五冊。

《國史經籍志・經類小學・書》：

《廣干祿字書》一卷，婁機。[20]

明崇禎修《嘉興縣志・藝文志・典籍》：

---

19 （元）馬端臨：《文獻通考》（上海市：商務印書館，《萬有文庫》第2集），卷190，經籍17〈廣干祿字書五卷〉。

20 （明）焦竑：《國史經籍志》（臺南市：莊嚴出版社，《四庫全書存目叢書》影印明萬曆三十年陳汝元函三館刻本），卷2。

《班馬字類》、《歷代帝王總要》、《廣干祿字編》、《漢隸字源》俱婁機著。[21]

三　佚文

本節輯得《廣干祿字書》佚文70條（《大典》68條，他書所引2條），今據《宋史・藝文志》、《玉海》所載卷數，及今日所存婁氏著作《班馬字類》，釐為五卷（上平聲22條、下平聲10條、上聲16條、去聲16條、入聲6條）。

卷一　平聲上

溶、又余隴切　卷540

饔饔、上正下通　卷662[22]

灉、音雍。又於用切。皆水名　卷661

壅、音雍。又音擁。皆塞也　卷662[23]

披、又普靡切，裂也。从木，碑詭反，木名　卷2807

錍、音卑。又音批，箭鏃廣長者　卷2806

岯、音邳。皆山名　卷2807

丕丕、上石經下《說文》，《春秋傳》：「里丕之難」　卷2807[24]

---

21 （明）羅炌：《嘉興縣志》（北京市：書目文獻出版社，《日本藏中國罕見地方志叢刊》影印明崇禎十年刻本），卷18，頁2上。

22 《集韻・平鍾》：「饔饔、孰食也，一曰割烹煎和之稱。或从雍」。

23 《干祿字書・上聲》：「擁壅、上擁持，下壅塞」，《廣韻・平鍾》：「壅、塞，又音擁」、《廣韻・上腫》：「壅、壅堨，亦塞也」。

24 《大典》抄寫字頭誤作「丕丕」，今據《干祿字書》、《五經文字》正。《干祿字書・平聲》：「丕丕、上通下正」、《五經文字・一部》：「丕丕、上《說文》下石經，下見《春秋傳》」，《干祿字書》定「丕」為正體而「丕」為通用，婁氏則據《五經文字》說明兩字之出處。

踈疏踈、上通踈二字並通，下稀疏　卷2408

酥蘇、上正下通　卷2405[25]

麤麄麆觕粗、《禮》：「其器高以粗」。俗作麄，不行於經典。上正餘通　卷2344

瓠、音乎，瓢也。又音護，匏也　卷2259[26]

梧、音吳，木也，字从才。音悟，亦从木，相抵觸也　卷2337

鼯鼳、上正下通　卷2344[27]

蜈蜈、上正下通　卷2344[28]

於呼、呼也　卷2347[29]

洿污、音烏，上正下通　卷2347[30]

杇朽、上乙孤切。下虛久切，腐也　卷2347[31]

培坏、上正下通　卷2807

梅栂、上莫來切。下莫改切，貪也　卷2808[32]

斤、斤字中當闕，俗作斤　《字鑑》卷一21欣[33]

樽撙、上樽罍。下撙節　卷3582[34]

25 《集韻・平模》：「酥蘇穌𩡠，酪屬，或作蘇穌𩡠」。

26 《集韻・去莫》：「瓠、《說文》『匏也』」。

27 此條《干祿字書》無，《大典》抄寫字頭誤作「鼯鼯」。《類篇・鼠部》：「鼯鼯、鼠名，狀如小狐，似蝙蝠，肉翅，亦謂之飛生，又姓，或作鼳」，婁氏據《類篇》定「鼯」為正體而「鼯」為通用，今據《類篇》改正。

28 《集韻・平模》：「蜈蜈、蜈蚣，蟲名。或作蜈」。

29 此條《永樂大典索引》失收。

30 《集韻・平模》：「洿污、《說文》『濁水不流也，一曰窳下』。或从于」。

31 《佩觿・卷中》：「杇朽、上乙孤翻，秦謂之杇，關東謂之槾。下虛久翻，腐也」。

32 《佩觿・卷中》：「梅栂、上莫來翻，果名。下莫改翻，貪也」。

33 又見清・倪濤《六藝之一錄》卷170。

34 《干祿字書・平聲》：「罇樽、竝上通下正」；《佩觿・卷中》：「樽撙、上祖孫翻，樽罍。下，子本翻撙節」。

卷二　平聲下

燕、音煙。又音宴，玄鳥也　卷4908

夭、於驕切。又烏晧切，少喪也　卷5268[35]

妝糚、並通　卷6523[36]

蒼、音倉，草色也。又采莽切，莽蒼　卷7518

汀玎、上正下通　卷7889

形侀、上象形也，下成也字，通用　卷7756

興、又象也　卷7960[37]

斿旒、旌旗之屬，並通　卷8841

遊游、並通。游又音旒，旌旗旒也。又《史記》:「必居上游，居水之上流也」，師古曰:「游即流」　卷8842

鹹醎、味不淡也，上正下俗　卷9762[38]

卷三　上聲

動運、不止也。上正下古文　卷13082[39]

砥、《孟子》:「周道如底」，又《漢書》:「底厲名節」，又「爵祿底石」，皆與砥同。底，又音旨，致也，經典亦作耆　卷10112[40]

厎耆、上加點即為底，下也。下从耂从旨，今或作耂下目者非　卷10112

35 《干祿字書·上聲》:「殀夭、上通下正」。

36 《集韻·平陽》:「妝娤糚粧、說飾也，或作娤糚粧」。

37 《干祿字書·平聲》:「興興、上通下正」。

38 《廣韻·平咸》:「鹹、不淡，醎、俗」。

39 《集韻》為上聲董韻，《大典》收入去聲一送。

40 《集韻·上旨》:「厎砥、《說文》『柔石也』。或作砥厎，一曰定也」。《班馬字類·上聲四紙五旨六止》:「厎、《漢書·律歷志》:『其道如—』，音指。〈晁錯傳〉:『—厲其節』，與砥同。〈梅福傳〉:『爵祿者天下之—石』，《孟子》:『周道如—』」。

蜼、蜼音累。又以醉切，禺屬。又余救切，獸如猴　卷11076

鬴釜、上正下通　卷14912鬴[41]

鹵、掠鹵，與虜同　卷10877

餒餧、通用，並弩罪切。下又於偽切　卷11076[42]

斡、音管　卷11313

悹悺、上正下通　卷11313

痯、音管。又音貫。皆病也　卷11313

藻、[illegible]俗字　卷11602[43]

鼎、古作鼑　卷11956[44]

嗾、音叟。又先奏切，皆使犬也　卷12148

藪棷、上正下通　卷12148[45]

蔌、音叟。又音速，皆菜也　卷12148

趣、又音娶，疾也　卷12148

卷四　去聲

跂䟀、上正下通　卷13341[46]

---

41 《集韻》為上聲噳韻，《大典》收入去聲六暮。

42 《干祿字書・上聲》:「餒餧、上奴罪反。下於偽反」。《廣韻・上賄》:「餧、飢也，一曰魚敗曰餧，奴罪切，八。餒、上同」、《廣韻・去寘》:「餧、餧飯也，於偽切，四」。《集韻・上賄》:「餧餒、砮罪切，《說文》『飢也』。或作餒」。

43 《干祿字書・上聲》:「藻藻、竝上俗下正」。

44 《集韻・上迥》:「鼎鼑、《說文》『三足兩耳，和五味之寶器也。昔禹收九牧之金，鑄鼎荊山之下，入山林川澤，螭魅蝄蜽，莫能逢之，以協承天休。《易卦》：巽木於下者爲鼎，象析木以炊也』，古作鼑」。

45 《集韻・上厚》:「藪棷䕅、《說文》『大澤也。九州之藪：楊州具區，荊州雲夢，豫州甫田，青州孟諸，沇州大野，雝州弦圃，幽州奚養，冀州楊紆，并州昭餘祁是也』。或作棷，亦从䕅。」《大典》抄手誤「棷」為從手之「掫」，今據《集韻》改正。

46 《廣韻・去寘》:「跂、鹽跂，《廣雅》云『苦李作跂』，是義切。䟀、上同」。

耆、《孟子》:「耆秦人之炙」,《史記》:「耆酒」,《漢書》:「減耆欲」。與嗜同　卷13341[47]

系、亦作繫,束也　卷13993

寺、音侍。又祥吏切,廷也,有法度者　卷13340[48]

憙喜、上正下通　卷13992[49]

蘸、又許豈切　卷13992

摡、又音慨　卷13992

嚔嚏、上正下俗　卷14124[50]

蔕、音帝。又音帶　卷14124

鬀剃髳、上正中下通　卷14125[51]

禘禓、上正下通　卷14125

處、俗作處　卷14544[52]

著箸、又直畧切,附也　卷14545[53]

---

47 《班馬字類・去聲五寘六至七志》:「耆、《史記・建元年表》:『—酒』,時至反。《漢書・景帝紀》:『減—欲』,讀曰嗜。《孟子》:『—秦人之炙』,上聲通」。

48 《集韻・去志》:「寺閑、祥吏切,《說文》『廷也,有法度者也』。或从門」。

49 《干祿字書・上聲》:「喜憙、上喜樂,下憙好,許吏反」。《集韻・上止》:「喜憙憘,許已切,《說文》『樂也』,或從欠從心。」、《集韻・去志》:「憙喜憘,許記切,《說文》『說也』,亦省,或作憘」。

50 《大典》原作「上平下俗」,今據前後文例改。《廣韻・去霽》:「嚔、鼻氣也。嚏、俗」。

51 《集韻・去霽》:「鬀剃髳、《說文》『鬄髮也,大人曰髡,小兒曰鬀,盡及身毛曰鬄』。或作剃髳」。

52 《集韻・去御》:「處、昌據切,所也,俗作處,非是。」《大典》引文末原有「見上聲四語」五字,考宋代以後依四聲編次之字書韻書有兩種系統,一為206韻「上聲八語」(《廣韻》、《集韻》、《班馬字類》),一為106韻「上聲六語」(《古今韻會舉要》、《五音集韻》)。「上聲四語」則屬明代《洪武正韻》76韻,五字當為《大典》抄寫誤衍,當刪。

53 《干祿字書・去聲》:「着著著、上俗中通下正」。

憝懟、上正下通　卷15143[54]

𠆣介、上通下正　卷15075[55]

恙、《廣干祿書》兼取憂及蟲　《鼠璞・無恙》[56]

卷五　入聲

沐沭、無點者沐浴也。有點者音述，水名　卷19636[57]

角、音祿。又訖岳反　卷19743

鳦、又音軋，皆燕也　卷20309

貉、又曰惡也　卷22180[58]

貊狛、顏氏云：「蠻貊字，上通下正。其獸名者字作貘」　卷22180[59]

麥麦、禾屬，上正下俗　卷22181[60]

54 《集韻・去隊》：「憝𢡧譈懟、《說文》『怨也』，引《周書》『凡民罔不憝』，古作𢡧，或作譈懟，亦書作懟」。

55 《干祿字書・去聲》：「𠆣介、上通下正」。《大典》抄寫字頭誤作「介介」，今據《干祿字書》正。

56 《干祿字書・去聲》：「恙恙、上俗下正」。《廣韻・去漾》：「憂也，病也。又噬蟲，善食人心」。此條資料又見於《輟耕錄・無恙》卷4、《說郛・無恙》卷14上、《說略》卷15。

57 《五經文字・卷下水部》：「沐沭、上音木，沐浴之沐。下音述，水名，見《周禮》」。《佩觿・卷下》：「沐沭、上莫卜翻，沐浴也。下音述，水名」。

58 《干祿字書・入聲》：「狢貉、竝上通下正」。

59 《干祿字書・入聲》：「貊狛、蠻貊字，上通下正。其獸名者字作貘」。

60 《玉篇・麥部》：「麥、莫革切，有芒之穀，秋種夏熟。麦、同上，俗」、《廣韻・入麥》：「麥、《白虎通》曰：『麥，金也。金王而生，火王而死』又姓，隋有將軍麥鐵杖，嶺南人，俗作麦」、《集韻・入麥》：「麥、莫獲切，《說文》『芒穀秋種厚薶，故謂之麥，麥、金也。金王而生，火王而死，從來、有穗者，從夊』，亦姓，俗作麦，非是」。

四　考證

婁機（1133-1211）字彥發，浙江嘉興人，事蹟詳具《宋史》本傳，另可參見樓鑰〈資政殿大學士致仕贈特進婁公神道碑〉。幼而穎悟，日誦數百言，能自刻苦。南宋孝宗乾道二年（1166）進士，授鹽官尉，遷宗正寺主簿，為太常博士、秘書郎。寧宗嘉定元年（1208）遷禮部尚書兼給事中，擢同知樞密院事兼太子賓客，進參知政事。嘉定三年（1210）卒，贈金紫光祿大夫，加贈特進。機嗜學如嗜芰，手不釋卷，尤長於考訂。另著有《班馬字類》、《漢隸字源》、《古鼎法帖》與《歷代帝王總要》。

寧宗嘉泰中，婁氏歷任太子左庶子、太子詹事，並兼資善堂小學教授。當時皇太子趙詢為惠國公，經常向婁氏請教文字的相關問題，婁氏便撰此書傳授之。趙詢得書後甚喜，特別命戴岷隱為此書作〈跋〉[61]，可惜〈跋〉文今已不傳。書成之後，南宋陳振孫《直齋書錄解題》、王應麟《玉海》、元馬端臨《文獻通考》皆有著錄。明代永樂年間纂修《永樂大典》時，其書猶存可資援引，惟至楊士奇清點秘閣藏書，撰為《文淵閣書目》時，於《廣干祿字書》已注云：「闕」，惟清代謝啟昆《小學考》云此書尚存[62]，實未知其說所本。

此書為增廣唐代顏元孫《干祿字書》而作，首先取許慎《說文》及諸家字書，參以蔡伯喈《五經備體》、張參《五經文字》、田放《九經字樣》與《經典釋文》、子史古字、丁度《集韻》諸書，凡文字有一字數義、一義數字者，皆校其同異，並載本源。全書共五卷，總為

61　《宋史・婁機傳》曰：「太子得機所著《廣干祿字》一編，尤喜，命戴溪跋之。」

62　（清）謝啟昆《小學考》：「婁氏機《廣干祿字書》，《直齋書錄解題》五卷，存。」（上海市：漢語大詞典出版社，影印清光緒浙江書局本），卷16，頁5-7。

字七千六百。根據所輯佚文，說明《廣干祿字書》之要點如下。

（一）上承《干祿字書》而增廣之

《永樂大典》引婁氏書名作《廣干祿字》，《崇禎嘉興縣志・藝文志》作《廣干祿字編》，今從《宋史・藝文志》、陳振孫《直齋書錄解題》、王應麟《玉海》、元馬端臨《文獻通考》等史志、書目，定作《廣干祿字書》。由書名即可得知，該書以增廣唐人顏元孫之《干祿字書》為撰作目的，前引南宋陳振孫《直齋書錄解題》：「續唐之舊，故仍干祿之名。」馬端臨《文獻通考》引《中興藝文志》：「……為《廣干祿字書》，蓋廣唐人顏元孫之書也。」二說可為佐證。

1 引用《干祿字書》原文

所輯佚文中，有「貊」字1條引《干祿字書》原文者。

貊狛、顏氏云：「蠻貊字，上通下正。其獸名者字作貘」

案：《干祿字書・入聲》：「貊狛、蠻貊字，上通下正。其獸名者字作貘」，與婁氏所引全同。

2 仍以「俗」、「通」、「正」作為字樣規範

《干祿字書》首創以「俗」、「通」、「正」三體作為文字使用的規範標準，書前〈序文〉提到了此三體的定義與使用情形：

> 所謂俗者，例皆淺近，唯籍帳、文案、券契、藥方，非涉雅言，用亦無爽。儻能改革，善不可加。所謂通者，相承久遠，可以施表奏、牋啟、尺牘、判狀，固免詆訶。所謂正者，並有憑據，可以施著述、文章、對策、碑碣，將為允當。

《廣干祿字書》因襲顏氏之書，仍以此三體作為規範標準，但卻有所改易，以下約舉所輯佚文數條，略加說明。

(1)「上正下通」

根據筆者統計，所輯70條佚文中，「上正下通」、「上正中下通」、「上正餘通」共有16例，比例佔22.8%，是為各類型之冠。

酥𦟜、上正下通。

案：此條《干祿字書》無。婁氏據《集韻》「或作𦟜」之說定「酥」為正體，而從肉蘇聲之後起形聲字「𦟜」為通用。

憙喜、上正下通。

案：考《說文·喜部》:「喜，樂也，从壴从口，凡喜之屬皆从喜」、《說文·喜部》:「憙，說也，从心从喜，喜亦聲」，「喜」、「憙」兩字於《說文》本別為二字。《干祿字書·上聲》:「喜憙，上喜樂，下憙好。許吏反」，已辨明兩字之字義有別，婁氏則根據《集韻》定「憙」為正體而「喜」為通用。

(2)「上正下俗」

鹹醎、味不淡也，上正下俗。

案：此條《干祿字書》無。《五經文字·卷上鹵部》:「鹹、作醎訛」、《玉篇·酉部》:「醎、音咸，俗鹹字」、《廣韻·平咸》:「鹹、不淡，醎、俗」、《集韻·平咸》:「鹹、《說文》『銜也』，北方味也，俗作醎，非是」，婁氏據歷代字書、韻書定「鹹」為正體，而從酉咸聲之後起形聲字「醎」為俗字。

麥麦、禾屬，上正下俗。

案：此條《干祿字書》無。婁氏據歷代字書、韻書，定「麥」為正體而「麦」為俗字。

(3)「並通」、「通用」

妝粧、並通。

案：此條《干祿字書》無。婁氏據《集韻》「或作妝粧粃」定「妝」、「粧」兩字之關係為並行通用。

餧餒、通用，並弩罪切。下又於偽切。

案：《干祿字書・上聲》：「餧餒、上奴罪反。下於偽反」，《廣韻・上賄》：「餒、飢也，一曰魚敗曰餒，奴罪切，八。餧、上同」。《干祿字書》但由辨似形近字的角度，注明兩字之反切，婁氏則進一步據《廣韻》定兩字之關係為通用。

(4)「上正下古文」、「古作」

動運、不止也，上正下古文。

案：此條《干祿字書》無。《說文・力部》：「動、作也，从力重聲。運、古文動从辵」、《玉篇・辵部》：「運、古文動」，婁氏據《說文》、《玉篇》定「動」為正而「運」為古文。

古作鼑。

案：此條《干祿字書》無。考《集韻・上迴》：「鼎鼑、《說文》『三足兩耳，和五味之寶器也，昔禹收九牧之金，鑄鼎荊山之下，入山林川澤，螭魅蝄蜽，莫能逢之，以協承天休，《易卦》巽木於下者為鼎，象析木以炊也』，古作鼑」，婁氏之說當由《集韻》來。

3 辨析文字

除了以「俗」、「通」、「正」三體作為字樣規範之外，《廣干祿字書》也上承《干祿字書》，以兩字或兩字以上字組的方式，辨析同音而形義有別，或形體相近而音義有別的文字，進而了解使用現實情況，以下舉2例說明。

梅㑭、上莫來切。下莫改切，貪也。

案：此條《干祿字書》無。考《廣韻．上平灰》：「梅、果名。又姓，出汝南，本自子姓，殷有梅伯，為紂所醢，漢有梅鋗」、《玉篇．手部》：「㑭、莫改切，貪也。」，二字形近而音、義皆有別。《佩觿．卷中》：「梅㑭、上莫來翻，果名。下莫改翻，貪也」，婁氏據《佩觿》辨析偏旁形近之「梅」、「㑭」二字。

樽撙、上樽罍。下撙節。

案：顏氏原書定「樽」為正體而「罇」為通用。《佩觿．卷中》：「樽撙、上祖孫翻，樽罍。下子本翻，撙節」，婁氏則據《佩觿》辨析同音而形近之「樽」、「撙」二字。

除了增加字數之外，仍以「俗」、「通」、「正」三體，作為規範用字之標準，同時也辨析了同音或形體相近的字組。而據前引諸條，筆者進一步發現《廣干祿字書》與《干祿字書》有兩點最大的不同：

（1）《廣干祿字書》改變了用字規範的排列方式：《干祿字書》原本先俗體或通用、後正體的「上俗下正」、「上通下正」、「上俗中通下正」排列方式，《廣干祿字書》則改易為「上正下通」、「上正中下通」、「上正下俗」、「上正下古文」，成為先正體、後俗體或通用。這應是婁機受到了北宋以降字書、韻書，尤其是重要參考對象《廣韻》、《集韻》以及《類篇》的影響，同時，這也符合了前代字書如《說文》、《玉篇》先正體後收錄重文異體的說解方式。

（2）《廣干祿字書》將「古體」納入規範用字的正式體例：綜考《干祿字書》全書，以「俗」、「通」、「正」三體作為主要用字規範，而「古體」則出現在說解之中，如《干祿字書．去聲》：「佩珮、上帶也，下玉珮也，古竝作佩」、《干祿字書．入聲》：「劵券、券字本從刀，從力古倦字」。而在所輯《廣干祿字書》佚文中，已有「上正下古文」的呈現形式：「動運、不止也，上正下古文」，是知《廣干祿字書》已進一步將「古體」納入規範用字的正式體例，可惜僅此一條，無法作更深入分析。

(二) 參校字書，考其同異

其次論《廣干祿字書》材料之來源。據前引馬端臨《文獻通考》引《中興藝文志》所載，婁氏主要以許慎《說文》、蔡伯喈《五經備體》、張參《五經文字》、田放《九經字樣》、《經典釋文》、《集韻》及諸家字書為參考對象，筆者復就所輯佚文內容，詳考其材料來源。

1 《五經文字》

沐沭、無點者沐浴也。有點者音述，水名。

案：此條《干祿字書》無，婁氏據《五經文字》辨析同為水部而形近之「沐」、「沭」二字。

2 大徐本《說文》

汀𣲷、上正下通。

案：考《說文・水部》：「汀、平也，从水丁聲。𣲷、汀或从平」，此條《干祿字書》無，婁氏據《說文》定「汀」為正體而重文從平丁聲之「𣲷」為通用。

3 《玉篇》

悹悺、上正下通。

案：《玉篇・心部》：「悹、古桓、公玩、公緩三切，悹悹，憂无告也。悺、同上」，此條《干祿字書》無，婁氏據《玉篇》「悺、同上」之說，定下形上聲「悹」為正體而左形右聲之「悺」為通用。

4 《佩觿》

杇朽、上乙孤切。下虛久切，腐也。

案：《佩觿・卷中》：「杇朽、上乙孤翻，秦謂之杇，關東謂之槾。下虛久翻，腐也」，此條《干祿字書》無，婁氏據《佩觿》辨析同為木部而形近之「杇」、「朽」二字。

5 《龍龕手鏡》

形侀、上象形也，下成也，字通用。

案：此條《干祿字書》無。《說文・彡部》：「形，象形也，从彡幵聲」、《玉篇・人部》：「侀，音刑，《記》『侀者成也，成不可變』」，「形」、「侀」原本別為二字。考《龍龕手鏡・平聲人部》：「形、或作，侀、正，侀、今，音刑，成也」，婁氏據《龍龕手鏡》定「形」、「侀」兩字之關係為通用，明代字書如《字彙》、《正字通》皆上承《龍龕手鏡》之說[63]，是知《廣干祿字書》實為南宋已降字書傳承之樞紐。

6 《廣韻》

壅、音雍。又音擁。皆塞也。

案：《干祿字書・上聲》：「擁壅、上擁持，下壅塞」，《廣韻・上平鍾》：「壅、塞，又音擁」、《廣韻・上腫》：「壅、壅堨，亦塞也」。《干祿字書》分別「擁」、「壅」兩字形、義不同，婁氏則

---

63 《字彙・人部》：「侀，即形字」，《正字通・人部》：「侀，與形通」。

根據南宋文字使用現況，依據《廣韻》說明「壅」字已有平聲與上聲二讀音。

7 《集韻》、《類篇》

蜈蜛、上正下通。

案：《集韻．平模》：「蜈蜛、蜈蚣，蟲名，或作蜛」、《類篇．虫部》：「蜈蜛、訛胡切，蜈蚣，蟲名，或作蜛」。此條《干祿字書》無，婁氏據《集韻》、《類篇》定「蜈」為正體而從虫吾聲之後起形聲「蜛」為通用（字）。

憝懟、上正下通。

案：《集韻．去隊》：「憝憞譈懟、《說文》怨也，引《周書》凡『民罔不憝』，古作憞，或作譈懟，亦書作懟」。此條《干祿字書》無，婁氏據《集韻》定「憝」為正體，從心對聲之後起形聲「懟」為通用。

8 《班馬字類》

婁機除了《廣干祿字書》之外，另有《班馬字類》、《漢隸字源》兩種字學著作傳世。《班馬字類》成書於南宋孝宗淳熙九年（1182），早於《廣干祿字書》。透過所輯佚文與《班馬字類》對勘，筆者發現婁氏編撰《廣干祿字書》時，已吸取了先前《班馬字類》的研究成果，兩書關係極為密切。以下舉2例為證：

砥、《孟子》：「周道如厎」，又《漢書》：「厎厲名節」，又「爵祿厎石」，皆與砥同。厎，又音旨，致也，經典亦作耆。

案：《班馬字類．上聲四紙五旨六止》：「厎、《漢書．律歷志》：『其道如一』，音指。〈晁錯傳〉：『一厲其節』，與砥同。〈梅福傳〉：『爵祿者天下之一石』，《孟子》：『周道如一』」。此條《干祿字書》無，婁氏於《廣干祿字書》中約舉《班馬字類》之文，以《孟子》、《漢書・晁錯傳》、《漢書・梅福傳》為書證。

嗜、《孟子》:「耆秦人之炙」,《史記》:「耆酒」,《漢書》:「減耆欲」。與嗜同。

案：《班馬字類・去聲五寘六至七志》:「耆、《史記・建元年表》:『一酒』，時至反。《漢書・景帝紀》:『減一欲』，讀曰嗜。《孟子》:『一秦人之炙』，上聲通」此條《干祿字書》無，婁氏於《廣干祿字書》中約舉《班馬字類》之文，以《孟子》、《史記・建元年表》、《漢書・景帝紀》為書證。

(三) 反映南宋文字使用現況

1 字樣觀念的改變

《廣干祿字書》判斷字樣屬性，大抵承襲自前代字書、韻書之說，然由所輯佚文發現，其中有字樣屬性與前代典籍截然不同者，以下舉例說明。

饔饔、上正下通。

案：考諸論及「饔」、「饔」兩字之唐代以後字書：《五經文字・食部》:「饔饔、上《說文》，下隸變」,《龍龕手鏡・食部》:「巄、籀文，饔、正，饔、今，於容反，孰食也，三」,《集韻・平鍾》:「饔饔、孰食也，一曰割烹煎和之稱，或从雍」,《類篇・食部》:「饔饔、於容切，孰食也，《說文》『孰食也』，一曰割烹煎和之稱，或从雍，文二」，是知《五經文字》以降各字書韻書，皆本《說文》以「饔」為正體而「饔」為異體，然而《廣干祿字書》卻以「饔」為正體而「饔」為通用。筆者認為這是婁氏已留心到用字情況的改變，《說文》篆形作

「𩟸」，後世隸變作「饔」，南宋時世人已多慣用「饔」字，故反以「饔」為通用，這也可證成《字彙．食部》：「饔、俗饔字」[64]，以「饔」為俗而非正體，實承襲自《廣干祿字書》，並非無據。

2 字音的改變

由所輯佚文也可發現，由宋代到明代字音已逐漸產生變化，如「動運、不止也。上正下古文。」，「動」字《廣韻》、《集韻》皆同為上聲董韻，至《洪武正韻》「動」字已二見於上聲董韻與去聲送韻，而《大典》將此條收入去聲送韻「動」字下。又如「鬴釜、上正下通。」，「鬴」字《廣韻》為上聲麌韻，《集韻》為上聲噳韻，《洪武正韻》為上聲姥韻，而《大典》將此條收入去聲暮韻「鬴」字下。由此亦可得知，《大典》韻部次第雖主《正韻》，但兩書收錄字音仍有差異。

第三節　《存古正字》

一　提要

《存古正字》一卷　永樂大典本

元李璽撰。璽字仲和，號竹山，溧水人，太師襄國公琮之後。淳祐十年進士，累官至承直郎、淮西節制司屬官，所歷皆有聲聞，入元後不仕。精究字學，另著有《稽古韻》，已亡佚。是書因《稽古韻》

---

64 《字彙補．食部》：「饔、……饔實古饔字，梅氏以為俗字，非」、《正字通．食部》：「饔、饔本字……舊註以饔為俗字，誤」。

而約之，於世俗通行之字，欲正其點畫之謬訛、偏旁之淆亂，凡魏了翁未及正者，仲和悉正之。《文淵閣書目》已云「闕」，《吳文正公集》載有吳澄〈存古正字序〉，今自《永樂大典》輯得佚文二十二條。

二　著錄

明代著錄《存古正字》之書目有以下四部：

《文淵閣書目．辰字號第一廚書目．法帖》：

《存古正字》一部一冊闕。

《秘閣書目．法帖》：

《存古正字》。

《菉竹堂書目．法帖》：

《存古正字》一冊。

《南廱志經籍考．下》：

《存古正字》一卷。[65]

清代以後著錄此書之書目有三部：

---

65 （明）梅鷟：《南廱志經籍考》（北京市：書目文獻出版社，《明代書目題跋叢刊》影印清光緒二十八年長沙葉氏重刊本）。

《小學考・文字十五》：

> 李氏旬金《存古正字》。見《吳文正集》，未見。[66]

《元史藝文志輯本・經部小學類・字書之屬》：

> 《存古正字》。佚，《小學考》有吳澄〈序〉。[67]

《中國文字學書目考錄・元明時期》：

> 《存古正字》三十卷（亡），《吳文正集》。元李旬金撰。李旬金，字仲和，號竹山，溧水（今江蘇溧水）人。宋淳祐十年進士，曾官承直郎，為淮西節制司屬官，入元不仕。事迹見《元史類編》卷三十六。[68]

三　序跋

《吳文正公集》載有元代吳澄所撰〈存古正字序〉[69]，今迻錄全文如下：

66 （清）謝啟昆《小學考》，卷23，頁9下-10下。

67 雒竹筠遺稿、李新乾編補：《元史藝文志輯本》（北京市：北京燕山出版社，1999年10月），頁91。

68 劉志成《中國文字學書目考錄》（成都市：巴蜀書社，1997年8月），頁131。

69 （元）吳澄：《吳文正公集》（臺北市：新文豐圖書公司，《元人文集珍本叢刊》）卷12，頁15-16，參見書影一。

正書之變三，俗書之變二。正書者何？黃帝時倉頡所造也，後世謂之古文，別出者為之古文奇字。歷數千年而周宣王之時變為大篆，又數百年而秦始皇之時變為小篆，古文大小篆三體略有更改，實不相遠也，故於六書之義無差殊。俗書者何？秦時所作隸書也，當時取便官府吏文而已。人之情喜簡捷而厭繁難，自此以後，公私通行，悉用隸書，而古初造字之義浸泯，後漢許氏叔重為之嘅，況距今又千載乎！隸變而楷，則惟姿媚悅目是尚，豈復知有六書之義哉？

六書之義不明，則五經之文亦晦何也？五經之文，古人之言也，古人之言而書以後世之字，字既非古，則其訓詁名義何從而通？苟欲率天下之人而廢俗書、復古篆，勢固有所不可，惟於世俗通行之字，正其點畫之謬訛、偏旁之淆亂，則雖今字而不失古義。昔臨卭魏公華父蓋嘗有意乎此，而於字未能悉正也。

至元之季，於金陵識先達李君仲和父，精究字學，所輯《稽古韻》深契予心。後三十年，其孫桓示《存古正字》一編，又因《稽古韻》而約之者也。凡華父所未及正者，仲和父悉正之，其有功於字學大矣，而予之尊其書也，非特以其與已同好也。仲和諱旬金，宋淳祐庚戌進士出身，官至承直郎淮西節制司屬官。

四　佚文

本節輯錄《存古正字》22條，原書篇卷次第已不可知，今依《大典》韻次條列如後。

[illegible][illegible]，从[illegible]从用，俗作庸非　卷541

[illegible]，本鳥名，借為雝咊字，俗作雍非　卷661

尸、作尸非　卷910

粗、精粗字，如三鹿，注行超遠，意義全非　卷2344

烏、[illegible]烏非　卷2345

於、本古文烏字，借作於，从方非　卷2347

蹏、[illegible]不从足，俗作蹄踈，非　卷2408

卑、ナ算而中[illegible]　卷2806

枚、與玫瑰同从攵，它无　卷2807

興、俗作興非　卷7960

兵、俗作兵非　卷8275

游、作斿非　卷8842[70]

厎、職氏切。厎从厂，柔石，與砥通　卷10112[71]

鹵、加水非　卷10877[72]

[illegible]、垂貌，又華马也　卷11077

鬨、俗作閧，從門非　卷13084[73]

種、又之隴切，穀子也　卷13194

寺、監官所也，从㞢从寸，有法度也。又閹寺也，作寺非　卷13340

鬴、俗作釜非　卷14912[74]

---

70 《集韻・平尤》：「游斿旒汓、《說文》『旌旗之流也』。或省，亦作旒，古作汓」。

71 《說文解字・厂部》：「厎、柔石也。從厂氐聲。砥、厎或从石」。

72 《集韻・上姥》：「鹵滷塷澛、《說文》『西方鹹地也，象鹽形，安定有鹵縣，東方謂之㡿，西方謂之鹵』。或从水从土，亦作澛」。《經典文字辨證書・鹵部》：「鹵正，滷別」。

73 《字彙・鬥部》：「閧、本作鬨，見鬥部。《廣韻》注『凡从鬥者與門戶字同』，其實非也，今俗多借用」。

74 《說文解字・鬲部》：「鬴、鍑屬也，從鬲甫聲。釜、鬴或从金父聲」。

沐、加點非　卷19636[75]

角、作角[illegible]非　卷19743

夕、作夕非　卷20354

五　考證

李鋆[76]字仲和，號竹山，溧水（今江蘇溧水縣）人，太師襄國公琮之後[77]。南宋理宗淳祐十年（1250）進士[78]，累官至承直郎、淮西節制司屬官，景定二年（1261）任沿江屯田分司[79]，所歷皆有聲聞，入元後不仕。精究字學，工書法，另著有《稽古韻》（已亡佚），生平事蹟見《元史類編》。

《存古正字》一卷[80]，《永樂大典》編修時原書尚在，可惜至《文淵閣書目》已云「闕」，今日僅存吳澄〈序〉。其書就竹山舊作《稽古韻》而約之，欲於世俗通行之字，正點畫之謬訛、偏旁之淆亂，吳澄

---

75 《五經文字．水部》：「沐沭、上音木，沐浴之沐。下音述，水名，見《周禮》」。

76 吳澄〈存古正字序〉云：「仲和諱旬金」，當為《吳文正公集》刊刻之誤，《小學考》、《中國文字學書目考錄》皆承之。今據各方志、《大典》所引及《康熙字典．金部》：「鋆、又人名，宋有承直郎李鋆」，當作「李鋆」為佳，清代有陶鋆字士和者，亦可為旁證。

77 （元）張鉉：《金陵新志．儒籍》：「李鋆、宋太師襄國公琮之後，進士，累官承直郎制司幹官、沿江屯田分司」（臺北市：成文出版社，《中國方志叢書》影印元至正四年刊本），卷9，頁36上。

78 （宋）馬光祖修、周應合纂：《景定建康志．儒學志五》：「進士題名淳祐十年：洪心會、吳慶龍、傅文振、李鋆」（北京市：中華書局，《宋元方志叢刊》影印宋景定二年修清嘉慶六年金陵孫忠愍祠刻本），卷32，頁20下。

79 （明）程嗣功、王一化修：《萬曆應天府志．科貢表上》：「宋進士景定二年：李鋆、屯田分司」（臺南市：莊嚴出版社，《四庫全書存目叢書》影印明萬曆五年刻本），卷10，頁6上。

80 《中國文字學書目考錄》云「三十卷」，未知何據，今從《南廱志經籍考》作一卷。

譽曰:「其有功於字學大矣」。筆者自《永樂大典》中輯得佚文22條,可略窺其書之要:

（一）立反切:如「厎、職氏切」、「穜、又之隴切」。

（二）考形譌:如「鹵、加水非」、「沐、加點非」。

（三）辨字樣:如「厎、與砥通」,《說文》以從石之「砥」為「厎」之重文,《存古正字》以兩字為通用。又如「鬴、俗作釜非」,《說文》以之「釜」為「鬴」之重文,《存古正字》則以從金父聲之「釜」為俗字。

第四節　《六書類釋》

一　提要

《六書類釋》　永樂大典本

元倪鏜撰。鏜字仲瑤,一字仲賓,安仁人。少從江萬里、湯靜晦學,博學宏才,應文學,選任南康路教授,延宿儒修〈白鹿洞學規〉。奏立錦江書院,置膳田,以淑後學。時元世祖欲貶孔子為「中賢」,鏜上〈逆鱗疏〉,直言極諫,另著有《易春秋筆記》、《詩書集要》。是書以《說文》為宗,芟繁舉缺,約為三百六十六部。以數居首,次二曰天,次三曰地,次四曰人,次五曰動物,次六曰植物,次七曰工事。有不可強收者歸於雜,次八曰雜,次九曰舉正辨譌,合為三十六卷,為字九千八百有奇,始於一,至於萬,六書見焉。《文淵閣書目》已云「闕」,清同治《安仁縣志》載有廛相山〈六書類釋序〉,今自《永樂大典》、《河源紀略》輯得佚文三十八條,或可與周伯溫《六書正譌》、楊辛泉《六書統》比觀。

二　著錄

明代著錄《存古正字》之書目有以下四部：
《文淵閣書目・昃字號第一廚書目・韻書》：

《六書類釋》一部四冊闕。
《六書類釋》一部十五冊闕。

《秘閣書目・韵書》：

《六書類什》四。

《菉竹堂書目・韻書》：

《六書類釋》四冊。

《國史經籍志・經類・小學・書》：

倪鏜《六書類釋》　卷。

清代以後著錄此書之書目與方志有以下數部：
《千頃堂書目・小學類補》

倪鏜《六書類釋》三十卷。安仁人，晉寧州知州。[81]

81 （清）黃虞稷撰，瞿鳳起、潘景鄭整理：《千頃堂書目》（上海市：上海古籍出版社，2001年7月），卷3。

清同治修《安仁縣志·藝文·經籍·集部》

《六書類釋》，倪鏜著，塵相山序。[82]

《補遼金元藝文志·經部·小學》：

倪鏜《六書類釋》三十卷。安仁人，晉寧州知州。[83]

《元史藝文志·經·小學類》：

倪鏜《六書類釋》三十卷。[84]

《中國文字學書目考錄·元明時期》：

《六書類釋》三十卷（亡），嘉靖《江西通志》，元倪鏜撰。倪鏜，字仲瑤，安仁（今湖南安仁）人。以文學舉為南康路學教授，遷翰林待制，歷晉寧知州，有政績。事見嘉靖《江西通志》卷九。[85]

---

82 （清）朱潼等修、徐彥楠等纂：《安仁縣志》（臺北市：成文出版社，《中國方志叢書》影印清同治十一年補刻本），卷29，頁2下。

83 （清）倪燦：《補遼金元藝文志》（上海市：上海古籍出版社，《續修四庫全書》影印清光緒刻廣雅書局叢書本）。

84 （清）錢大昕補：《元史藝文志》（上海市：上海古籍出版社，《續修四庫全書》影印潛研堂全書本），卷1。

85 同註68，頁129。

三 序跋

清同治修《安仁縣志》載有鄱陽塵相山撰〈六書類釋序〉[86]，今錄全文如下：

> 周官保氏教國子先以六書：指事、象形、諧聲、會意、轉注、假借，義有六而制文之要，唯指事象形為本，形事相生而屬諸意，義類相因而轉為注，聲以諧之，假借以變通之，文字所由生也。有文而有字，字者孳也，取其孳生也，秦漢以來有尉律，廷尉治獄之律也，古人於訟獄之書謹嚴如此，讀聖人之書而不通六書，則訓詁貿亂，授受何所適哉？
>
> 許氏《說文》為字學之宗，寖遠日譌，學者病之。唐李陽冰、蜀林罕、江南二徐、宋司馬文正公、丞相王安石，各為類訓而得失半之。夾漈鄭氏樵象類舉略，自謂極深研，幾盡制作之妙，而六書證篇卒莫之見。宋戴氏侗分別部居，論有根據，稾未脫而旋逝。近復有點畫建類自名專家，往往誇多攻奇，去古益遠。
>
> 今倪公鏜《六書類》以《說文》為宗，集諸家之長，芟繁舉缺，約為三百六十六部。書始於契，契以紀數成文，故以數居首，次二曰天，次三曰地，次四曰人，次五曰動物，次六曰植物，次七曰工事，綴疑以從類，存廢以博攷，七者備矣。有不可強收者歸於雜，次八曰雜，次九曰舉正辨譌，合為三十六卷，為字九千八百有奇，始於一，至於萬，六書見焉。

86 同註82，卷30之3，參見書影二。

明代都穆《南濠居士文跋》[87]中有〈六書類釋〉一篇，今錄全文如下：

> 右《六書類釋》三十六卷，元鄱陽倪鏜撰。元人精六書之學者稱周左丞伯溫，其所著有《六書正譌》、《說文字原》行於世，而伯溫固鄱陽人也。鏜與伯溫同郡，其書精博，亦既刻梓，不知何為不行，雖以予之酷嗜字學，藏書頗多，是書僅一見之京師，而殘缺者亦已過半。夫古人苦心著書，固將以傳遠也，今去鏜不二百年，而其書泯滅無存，併其名亦不知，然則立言果足恃邪？

四　佚文

本節輯得《六書類釋》佚文38條（《大典》37條，他書所引1條），[88]原書次第今已不可考，今依《大典》韻次條列如後。

頌、作額，借為雅頌之頌，似用切，借義奪正，故頌與容兩用　卷540

廱、[illegible]本作[illegible]　卷662[89]

[illegible]、人之疑人臥為尸。鄭樵曰：「人理从，从則起，起則生，衡則臥，臥則尸」今以人臥為尸，附人部　卷910

洿、又烏故切，染污也，因之為貪污，或作娎　卷2347

87 （明）都穆：《南濠居士文跋》（上海市：上海古籍出版社，《續修四庫全書》影印明刻本），卷2，頁5下-6上。

88 丁治民：《永樂大典小學書輯佚與研究》（北京市：商務印書館，2015年4月），考得26條，參頁70-73。

89 此條《索引》失收。

酥、酉諧穌省　卷2405[90]

疋、按所引〈弟子職〉乃足字，大疋則大胥小胥也，胥疏皆以疋為聲　卷2408

䟽、囟諧疋聲　卷2408[91]

椑、椑柿同類，柿實赤而椑烏綠，故為烏椑，又名綠柿。又部覘切，親身之棺曰椑，《記》「君即位而為椑」，鄭氏曰：「謂杝棺，親身者」。又部迷切，《考工記》：「句兵椑」，鄭司農曰：「讀若鼙」，康成曰：「齊人謂斧柯為椑，則椑隋圜也」　卷2806[92]

鈚、攀悲切，靈姑鈚，旗名，見《春秋傳》。《類篇》：「刃戈也」，按《傳》云：「斷三尺而用之」，蓋旗柄之有刃者也　卷2807[93]

梅、按槑呆皆象形，口在木下為杏，反杏為呆，酸甘不同也　卷2808

妝、裝，見衣部　卷6523

倉、指事　卷7506

鶬、顏師古曰：山西呼為鴰鹿。又借義「鞗革有鶬」，毛氏曰：「言有法度」，鄭氏曰：「金飾貌」。又「八鸞鶬鶬」，毛氏曰：「聲」，鄭氏曰：「聲之和也」　卷7518[94]

烝、《詩》「侯薪侯烝」，別作蒸，加艸　卷8021[95]

---

90 此條《大典》作者名誤作「倪堂」。

91 此條《索引》失收。

92 《禮記・檀弓上》：「君即位而為椑，歲一漆之，藏焉。」《周禮・冬官考工記》：「是故句兵椑，刺兵摶。」《玉篇・金部》：「鈚、匹眉切，刃戈也」。

93 《左傳・昭公十年》：「公卜使王黑以靈姑銔率，吉，請斷三尺焉而用之。」

94 《詩・周頌・載見》：「鞗革有鶬，休有烈光。」《詩・商頌・烈祖》：「八鸞鶬鶬，以假以享」。

95 《詩・小雅・正月》：「瞻彼中林，侯薪侯蒸」。

成、成从丁。古文作戚，从午，午與丁皆中，未詳　卷8022

精、精則純一不襍，《易》「精氣為物」，引之為精神、精誠、精妙。又天無雲曰精。《漢書》作精，今文作晴　卷8526[96]

涵、水涵浸也，或作涵、洽。又作凾，从亼無義　卷9762

銜、金之會意，又作嗛。又官銜，階職前後相銜也。銜倪鏜《類釋》　卷9762

[illegible]、山之象形。[illegible]《六書類釋》　卷9763

鹵、象形，舊說从西省非　卷10877

老、[illegible]《六書類釋》　卷11615

藪、又窶藪，漢東方朔曰：「著樹為寄生，盆下為窶藪」，楊惲曰：「鼠不客穴，銜窶藪」。又所主切　卷12148

[illegible]、送也　卷13083

閧、丁貢切　卷13084[97]

蒔、種植之通名。又平聲　卷13340

邲、又毗至切，《春秋》：「晉楚戰于邲」，在鄭州管城縣　卷13876

餼、[illegible]，又作[illegible]。詳見气下　卷13992

[illegible]、《六書類釋》　卷13992

[illegible]、本作帝　卷14124

[illegible]、《六書類釋》　卷14912

黱、又都故切　卷15143

[illegible]、象形，《類篇》又有鱢非　卷19743

攈、微振也　卷19743

---

96 此條《大典》書名省作「類釋」。《周易・繫辭上》：「精氣為物，遊魂為變，是故知鬼神之情狀」。

97 此條《大典》書名省作「類釋」。

濼、「桓十八年，公會齊侯于濼」，杜氏曰：「水在濟南，歷城縣西北」，南豐曾氏曰：「齊多甘泉，蓋皆濼水之旁出，水之伏流，地中固多有之」　卷19743[98]

[illegible]、倪鏜《六書類釋》　卷19784

服、又弼力切，[illegible]、古文，卜聲。按服、小周附大舟者也，引之為馬之服轅，又作犕。又引之為衣服，為弓矢之服。凡言服者，皆親附服從之，如衣服之在躬，故為柔服、服從、服事之義　卷19785

陌、陌之言百也，遂洫縱而徑涂亦縱，則遂間百畝，洫間百夫，而徑涂為陌矣。《廣韻》莫北切　卷22180

倪鏜《類釋》考黄河源出崑崙，由積石至龍門盤束山硤間忽得平地，其流怒駛，水行土中，故其水黄濁　《河源紀略》卷14

五　考證

倪鏜（1262-1345）字仲瑤，一字仲賓，安仁（今江西餘江縣）人。少從江萬里、湯靜晦學，博學宏才，應文學，選任南康路教授，延宿儒修〈白鹿洞學規〉。遷翰林待制，再遷晉寧州知州，有惠政。奏立錦江書院，聚書萬卷，置膳田，以淑後學。時元世祖欲貶孔子為「中賢」，鏜上〈逆鱗疏〉，直言極諫，乞追黜聖詔書。另著有〈逆鱗疏〉、《易春秋筆記》、《詩書集要》，生平事蹟見清同治十年修《貴溪縣志・人物・儒林》。

《六書類釋》之卷數，《千頃堂書目》、《元史藝文志》與各清代方志皆作三十卷，惟〈六書類釋序〉與《南濠居士文跋》作三十六卷。

98　此條《大典》書名誤作「六書類聚」。《左傳・桓公十八年》：「公會齊侯于濼，遂及文姜如齊」。

其書以《說文》為宗，芟繁舉缺，約為三百六十六部，分為「數」、「天」、「地」、「人」、「動物」、「植物」、「工事」、「雜」、「舉正辨譌」九類。書成之後，頗受學者重視，如元代字書《增補復古編》、明代字書《正字通》皆有參考[99]。《永樂大典》編修時原書尚在，《文淵閣書目》已云「闕」。據輯得佚文，可得其書大要：

（一）以反切釋音

1. 鉟、攀悲切
2. 閧、丁貢切
3. 黲、又都故切

（二）說明六書

1. 象形：鹵、象形，舊說从西省非
2. 指事：倉、指事
3. 會意：銜、金之會意
4. 形聲：豟、囟諧疋聲
5. 假借：頌、借為雅頌之頌

（三）徵引經史典籍

1. 精、精則純一不襍，《易》「精氣為物」，引之為精神、精誠、精妙
2. 烝、《詩》「侯薪侯烝」
3. 椑、又部覛切，親身之棺曰椑，《記》「君即位而為椑」，鄭氏曰：「謂杝棺，親身者」

99 張美和〈增補復古編序〉：「吾友吳氏仲平力學好古，齋居之暇，取張氏之書，一以《說文》為主，詳加校正，增補凡若干字。而又旁閱諸家，若戴侗之《六書故》、鄭樵之《六書畧》、林罕之《偏傍小說》、倪鏜之《韻釋》、周伯琦之《字原》《正譌》、趙撝謙之《六書本義》，取其有合於古，可以發明是書之恉者，則附注於下。」參見《愛日精廬藏書志》卷7。《正字通．引證書目》：「倪鏜《六書類釋》」。

4. 濼、「桓十八年，公會齊侯于濼」，杜氏曰：「水在濟南，歷城縣西北」，南豐曾氏曰：「齊多甘泉，蓋皆濼水之旁出，水之伏流，地中固多有之」

5. 藪、又寠藪，漢東方朔曰：「著樹為寄生，盆下為寠藪」

（四）徵引字書韻書

1. 陌、……《廣韻》「莫北切」

案：此條援引《廣韻》釋音，惟考《玉篇・阜部》：「陌、莫百切。」、《廣韻・入陌》：「陌、莫白切。」均非「莫北切」之音讀，《大典》所引疑有誤字。

2. 鉟、……《類篇》「刃戈也」

案：此條援引《類篇》釋義，惟考《玉篇・金部》：「鉟、匹眉切，刃戈也。」、《廣韻・平脂》：「鉟、刃戈。又音丕。」、《四聲篇海・金部》：「鉟、匹眉切，刃戈也。又符羈切。」《類篇》有「鈹」而無「鉟」，疑《大典》所引書名有誤。

第五節 《說文續釋》

一 提要

《說文續解》 永樂大典本

元吾衍撰。衍有《周秦刻石釋音》、《學古編》、《竹素山房詩集》，《四庫全書》已著錄。嗜好古學，通經史百家言，雖眇左目、跛左足，而風度特蘊藉。善篆刻，工隸書，尤精於小篆。是書為續徐楚金《繫傳通釋》之作，《文淵閣書目》已云「闕」，今自《永樂大典》可輯得佚文九條。

二　著錄

著錄《說文續釋》之書目有以下數部：

《文淵閣書目・昃字號第一廚書目・韻書》：

《說文續釋》一部一冊闕。

《秘閣書目・韵書》：

《說文續什》一。

《菉竹堂書目・韻書》：

《說文續釋》一冊。

《國史經籍志・經類・小學・書》：

吾衍《說文續解》　卷。

《千頃堂書目・小學類補》

吾衍《說文續解》又《學古編》二卷。

《補遼金元藝文志・經部・小學》：

吾衍《說文續解》。《學古編》二卷。《周秦刻石釋音》一卷。

《元史藝文志・經・小學類》：

吳叡《說文續釋》。字孟思，濮陽人。

吾衍《說文續解》、《學古編》。字子行，錢唐人。

明清以後，論及此書者頗繁，今爰列數部：

明嘉靖修《仁和縣志・書籍》：

《尚書要略》《九歌譜》、《聽玄造化集》、《十二月樂詞譜》、《重正卦氣》、《楚史檮杌》、《晉文春秋》、《道書援神契》、《石鼓詛楚文音釋》、《閒中編》、《竹素山房詩集》、《說文續解》以上俱處士吾衍著。[100]

《浙江通志・經籍二・經部下》：

《說文續解》，成化杭州府志吾衍著。[101]

《妮古錄》卷3：

宛丘趙期頤以書名世，得之吾衍者為多。衍所著書有《尚書要

100 （明）沈朝宣纂修：《仁和縣志》（臺南市：莊嚴出版社，《四庫全書存目叢書》影印清光緒錢塘丁氏嘉惠堂刻武林掌故叢編本），卷13，頁2。

101 （清）嵇曾筠等修、沈翼機等纂：《浙江通志》（臺北市：臺灣商務印書館，影印《文淵閣四庫全書》冊519-526），卷242，頁48下。

略》、《聽玄造化集》、《九歌譜》、《十二月樂辭譜》、《重正卦氣》、《楚史檮杌》、《晉文春秋》、《通書援神契》、《說文續解》、《石鼓咀楚文音釋》、《閒中編》、《竹素山房詩》，余又抄得《閒居錄》一卷。[102]

清嘉慶重修《大清一統志・杭州府四・人物・流寓》：

吾邱衍，太末人。寓居仁和，能詩，工篆隸，性簡傲，常自比郭忠恕。居生花坊一小樓，廉訪使徐炎來見，衍從樓上呼曰：「此樓何敢當貴人登耶？願明日謁謝」炎笑而去。所著有《尚書要略》、《九歌》、《說文續解》等書。[103]

三　佚文

本節輯得《說文續釋》佚文9條（殘存《大典》6條，《純常子枝語》[104]所引3條），今依《說文》十四篇次第，條列如後。

三上

謚、衍按：《謚法》「大行受大名，小行受小名」，故從皿。器之

102 （明）陳繼儒：《妮古錄》（臺南市：莊嚴出版社，《四庫全書存目叢書》影印明萬曆繡水沈氏刻寶顏堂祕笈本），頁21下。

103 （清）穆彰阿等纂：《大清一統志》（臺北市：臺灣商務印書館，《四部叢刊續編》影印清道光二十二年進呈寫本），卷286，頁9下-10上。

104 （清）文廷式：《純常子枝語》（上海市：上海古籍出版社，《續修四庫全書》影印民國32年刻本）。李偉國對《純常子枝語》有極高的評價：「從保持古代文獻的角度來說，近百萬字的《枝語》全書中，有關《永樂大典》的記錄是最有價值的部分之一。因其所抄《大典》各卷絕大多數已佚，更可見其寶貴。」，說見〈永樂大典卷的寶貴資料──讀純常子枝語劄記〉，《文獻》1983年第3期（1983年10月），頁92。

爲物，大則所容大，小則所容小，从言、从皿、从兮聲，今人寫从益非　卷13345[105]

四下

制、从未聲，《商書》曰「以義制事」　卷13496

七上

鼎、上從貞省聲，古文貞字為鼎。衍曰：貞非聲，直象鼎形，冪其上，莫見其耳；柴其下，復隱其足　卷11956

录、衍曰：从从彐人加ㄅ於彐，象橋蹂，布二八於下，象餘木。按臼字从二八在凵中，象木，與此同意，指事，《說文》誤作象形　卷19743

九下

昜、从日出地上，一、地也，勿象其光芒敷照也。按：《說文》山南水北之陽从昜𨸏，水南山北之陰从侌𨸏，此日昜月侌之侌昜，不可妄加𨸏也，猶良反　卷6038（《純常子枝語》卷7引）

十上

驙、衍案：〈屯・六二〉曰：「屯如邅如，乘馬班如」與古文異也。亶、古音單，陟連反　卷4972（《純常子枝語》卷7引）

燹、《說文》「火也，从火豩聲」。衍曰：豩音邠，非聲。火焚野而豕群奔也，从二豕在火前，指事　卷13992

105　《大典》原文尚有「謚字猶笑言嗌嗌字，《說文》無兮字，又不可疑為諧聲。」三句，《純常子枝語》卷7云：「按後三句非衍說，《大典》誤連為一條。」文氏之說可從，今據刪。

十一下

沝、衍曰：从二水《通論》詳矣，「闕」字後人誤加也，後𣶒字亦多「闕」字，差誤同此　卷11076

十二下

弦、弓弩之弦練絲爲之，故从系而不具末　卷4843（《純常子枝語》卷7引）[106]

四　考證

吾衍（1268-1311）字子行，號竹房，又號竹素、貞白，元錢塘（今浙江杭州市）人。嗜好古學，通經史百家言，雖眇左目、跛左足，而風度特蘊藉。善篆刻，工隸書，尤精於小篆，其志不止秦、唐二李間。另著有《周秦刻石釋音》、《學古編》、《竹素山房詩集》，生平事蹟見明宋濂〈吾衍傳〉[107]、王褘〈吾丘子行傳〉[108]。

《說文續釋》者，續徐鍇《繫傳通釋》之作也，各家書目書名或作《說文續解》，不確。今考辨如下：

（一）吾衍《學古編‧隸書品八則‧佐書韻編》已清楚自言書名為《說文續釋》：

106 文氏云：「按不具末三字疑有誤」。

107 （明）宋濂撰，羅月霞主編：《宋濂全集》（杭州市：浙江古籍出版社，1999年12月），頁107-108。

108 （明）王褘：《王忠文集》（臺北市：臺灣商務印書館，影印《文淵閣四庫全書》冊1226），卷21，頁10下-13上。吾衍原複姓「吾丘」，為避孔子諱而改姓「吾」，或作「吾邱衍」，說參蔡宗憲：《元代印人吾衍研究》（中國文化大學藝術研究所碩士論文，2006年6月），第2章〈吾衍之生平、行誼〉，頁8-9。

> 僕亦有《續篆韻》五卷、《疑字》一卷附後，未暇刊板，且令學者傳寫。又有《說文續釋》，方更刪定，同志能為刻之，流傳將來，亦盛德事。[109]

（二）《永樂大典》所引書名作《續釋》：文廷式《純常子枝語》云：

> 按《永樂大典》卷一萬三千三百四十五引吾衍《說文續釋》云……又卷四千九百七十二吾衍《說文續釋》云……據此數條皆作《續釋》，蓋續小徐《通釋》而作也，各書作《續解》似稍誤矣。[110]

個人自今日殘存《大典》輯得6條，觀察其於大典引小學書之排列次第，皆次於徐鍇《通釋》之後，又《大典》卷11076「沝」字引《續釋》云：

> 衍曰：从二水《通論》詳矣，「闕」字後人誤加也，後𣻌字亦多「闕」字，差誤同此。

吾衍對「沝」字的解釋，首先就提到了徐鍇的《繫傳通釋》。以上就《大典》引文的兩點考察，皆可作為書名當作《續釋》之確證。

（三）至於書名致誤之由，據筆者所考，當肇始於明初劉基，〈吳孟思墓誌銘〉云：

---

109 （元）吾衍：《學古編》（臺北市：藝文印書館，《百部叢書集成》影印明萬曆周履靖輯刊夷門廣牘本），下卷。

110 （清）文廷式：《純常子枝語》，卷7。

> 孟思為人外不與物忤而內甚剛介，所交多達官而略無求薦進意，自號曰「雲濤散人」，所著述有《雲濤萃藁》、《說文續釋》、《集古印譜》傳于世。[111]

劉基首先將《說文續釋》視為吾衍弟子吳叡的著作，其後《國史經籍志》、《千頃堂書目》皆承其誤，至錢大昕《補元史藝文志》更分立為二：吳叡《說文續釋》、吾衍《說文續解》。

第六節 《隸韻》

一 佚文

> 寺、〈楊著碑〉，見楊益《隸韻》 卷13340

二 考證

楊益《隸韻》，《大典》引文僅存1條。

楊益字友直，元洛陽人。順帝至元二年（1336）以戶部侍郎任南雄路總管，為政安舒，禁絕淫祠，至正二年（1342）任撫州路總管，事蹟見《乾隆南雄府志·名宦列傳》[112]。

友直工書法，古隸學廬江太守碑，亦能篆，《稗史集傳》論及陸友與當世書家云：

---

111 （明）劉基：《誠意伯文集》（臺北市，臺灣商務印書館，《四部叢刊初編》影印明刊本），卷8，頁16-17。

112 （清）梁宏勛等修、蔡必陞等纂：《南雄府志》（海口市：海南出版社，《故宮珍本叢刊》影印清乾隆十八年刻本），卷12。

> 陸友字友仁，姑蘇人也。……君善為歌詩，長於唐人五言律，工漢八分隸楷。……近世洛陽楊友直，蜀郡虞伯生，大梁趙子期、吳彥暉，京兆杜伯原，皆著名當代而所尚不同。[113]

虞集（1272-1348）有〈贈楊友直〉詩一首：

> 雒陽楊友直，字擬漢中郎。畫若錐穿石，垂如雨漏牆。舞花羞女美，醉草笑僧狂。昨日鴻都學，煩君寫數行。[114]

第七節　《字濴博義》

一　提要

《字濴博義》　永樂大典本

不著撰人名氏。成書時代當在元末明初，《內閣藏書目錄》云：「抄本無序，莫詳姓氏，亦字書也。每字古俗重文皆備，以天文、時令、地理至通用，分二十六門。」原書已不存，今自《永樂大典》輯得佚文三百八十四條，足爲小學家之所取證。

---

113 （元）徐顯：《稗史集傳》（臺南市：莊嚴出版社，《四庫全書存目叢書》影印明刻本），頁13-15。

114 （元）虞集：《虞文靖公道園全集》（臺北市：新文豐出版公司，《叢書集成續編》影印清古棠書屋叢書本），卷2。

二　著錄

《字滲博義》一書正史藝文志未載，筆者僅於六種書目中考見：
《文淵閣書目．昃字號第一廚書目．韻書》

《字滲博義》一部十四冊完全。

《秘閣書目．韵書》：

《字滲博乂》十四。

《菉竹堂書目．韻書》：

《字滲博義》十四冊。

《內閣藏書目錄．字學部》：

《字滲博義》十四冊全。抄本無序，莫詳姓氏，亦字書也。每字古俗重文皆備，以天文、時令、地理至通用，分二十六門。滲猗拳切，水深貌。[115]

《國史經籍志．經類．小學．書》：

---

115 （明）孫能傳、張萱編：《內閣藏書目錄》（上海市：上海古籍出版社，《續修四庫全書》影印清遲雲樓抄本），卷5，頁5上。

《字澿博義》二十六卷。

《千頃堂書目》卷三小學類：

《字澿博義》二十六卷。

三　佚文

本節輯得《字澿博義》佚文384條（平聲143條、上聲67條、去聲131條、入聲43條）[116]，原書次第今已不可考，今依《大典》韻次條列如後。

終、古作[illegible]　卷489

衆、職戎切。蔠、同上　卷490

蓉、《說文》「芙蓉峯在衡山」，李詩「青天削出金芙蓉」　卷540

豅、𧯶、同上　卷662

悺、於宮切，憂也　卷662

甇、於恭切，長頸瓶也，出《類聚》　卷662[117]

[illegible]、正作之貌，出《類聚》　卷662[118]

尸、書之切　卷910

屍、商支切　卷913[119]

弗、音壺，古器也，出《類聚》　卷2254

116 丁氏《永樂大典小學書輯佚與研究》考得383條，參頁87-108，漏輯卷2806「牌」。

117 《四聲篇海・瓦部》：「甇、於耕切，長頸瓶也」。

118 《四聲篇海・巾部》：「[illegible]、紆螢切，覆也」；《四聲篇海・力部》：「勞、於營切，正作[illegible]」，《大典》形近而誤構字部件「冋」為「同」。

119 《古今韻會舉要・平支》：「屍音同施，商支切」，此條「商」當為「商」之形訛。

瑚、胡鈷、同上　卷2259

餬、餰、同上　卷2259

箶、鞠、同上　卷2259

湖、弘孤切　卷2260

郚、語魚切　卷2344

瓳、音吾　卷2344[120]

鼯、五乎切　卷2344

祦、禑、同上　卷2344

俉、五乎切　卷2344

牾、五乎切，音吾　卷2344[121]

鏵、戶孤切，音吳，山名　卷2344[122]

麤、駔[illegible]、同上，通作麁麤[illegible]麄麤。又姥韻坐五切　卷2344

皻、音麤，皻、同上。又姥韻采古切　卷2344

惡、又雙雛切，驚嘆辭也　卷2347

於、商於，地名　卷2347

螐、哀都切，音烏　卷2347

鴮、哀都切　卷2347

鶘、哀都切　卷2347

䳇、哀都切　卷2347

磓、哀都切，山崎也　卷2347

酥、酒名也，酥䣽䣽醐、同上　卷2405

擨、三孤切　卷2405

---

120 《字彙・瓦部》：「瓳，五乎切，音吾，甌也」。

121 此條《索引》失收。《字彙・爿部》：「牾、五乎切，音吾，獸名」。

122 「鏵」為「鏵」之異體，《字彙補・金部》：「鏵、戶瓜切，音華，鍬也。又魚姑切，音吳，山名」。

䔤、素姑切　卷2405

𩆤、先呼切，和也　卷2405

篠、先烏切，細竹也　卷2405[123]

疏、《說文》「窻也」，《梁冀傳》「練疏青瑣」。又麤也，通作延疋　卷2408

䟽、通作𧾷[illegible]延疋　卷2408

練、山模切，又音初　卷2408

䟽、音疏，青色也　卷2408[124]

蘢、音陂，又薄蟹切　卷2755

籠、波為切，又逋眉切　卷2755

詖、彼義切　卷2755

䘩、通作埤　卷2806

埤、篇夷切，附也。堺陴裨、同上　卷2806

箄、必匙切，江東呼小籠為箄。又必是切　卷2806

顊、音卑，髮白也　卷2806

䏢、波為切，又音陂　卷2806

䴽、波為切。另、同上　卷2806[125]

鵯、俯移切，音卑　卷2806

俾、俯移切，音卑　卷2806

萆、萆、房脂切　卷2806

彼、班靡切，辨論也　卷2806

123 《廣韻・上篠》:「篠、細竹也，先鳥切，七。筱、同上」,《大典》誤字頭「篠」為「篠」，又形近而誤切語下字「鳥」為「烏」，當由平聲改入上聲。

124 《字彙・疋部》:「䟽、所葅切，音疏，清疏也」，疑《大典》所引之釋義有誤。

125 此條《索引》誤植為「渒」。

䚹、俯移切，橫角謂之䚹　卷2806[126]

胚、《文字注》通作岯　卷2807

伾、通作伓伾，走貌　卷2807

秠、通作粃。又普弭切。又部癸切　卷2807

鉟、銔、同上　卷2807

岯、《尚書》「至于大岯」，《注》「再重曰英，一重曰岯」。《括地理志》云「大岯山，今名黎陽東山，又名青壇山，在衛州黎陽也」　卷2807

豾、篇夷切　卷2807

旇、又平祕切　卷2807

䄙、篇宜切　卷2807

錍、篇夷切，《說文》「鍪錍也」，《博雅》「錍謂之銘」　卷2807

髬、敷羈切。髪、同上　卷2807

翍、敷羈切，又音披　卷2807

怶、敷羈切，音披　卷2807

啡、芳杯切，音杯　卷2807

娝、芳杯切。妚、同上。又方久切　卷2807

垺、芳杯切　卷2807

衃、芳杯切　卷2807

罷、敷羈切，音披　卷2807

陚、方回切，小阜也　卷2807

刲、孚圭切，握也　卷2807

梅、花於冬，實於春，黃熟於夏之果　卷2808

䰰、士臻切　卷2955

126 《集韻・平支》:「䚹、橫角為之䚹」。

遵、古作𨘢 卷3586[127]

踆、祖昆切 卷3586

𩦺、將倫切 卷3586

陁、吐根切。𣢳、同上 卷3586

䐾、同上 卷3586[128]

黗、同上 卷3586[129]

煙、《說文》「煙熅，天地氣也，精氣也」，通作㜇絪𧑒𣤾㜇。又嘯韻力弔切 卷4908

祅、災也 卷5268

枖、夭祅枖、同上 卷5268

褄、音要，縷纙也 卷5268

�、音要 卷5268

㿢、於宵切 卷5268

吆、於宵切 卷5268

㝠、於宵切 卷5268

眑、於宵切 卷5268

頞、音幺 卷5268[130]

樉、音要 卷5268

鴁、音妖 卷5268

飫、音妖 卷5268

敲、又五交切，打也 卷5268[131]

---

127 《集韻·平諄》:「遵𨘢、蹤倫切，《說文》:『循也』，古作𨘢」。

128 《集韻·平魂》:「䐾脝、月光也，或省」。《四聲篇海·月部》:「䐾、他敦切，月光也。脝、同上」。

129 《字彙補·黑部》:「黗、與黗同」。

130 《重訂直音篇·頁部》:「頞，音幺，頭小貌」。

131 《大典》原作「五切交」，今改。

顤、起囂切　卷5268

趬、又音驕，捷也　卷5268

蹻、起囂切　卷5268

墽、起囂切，又音喬　卷5268

撬、去遙切　卷5268[132]

僬、去遙切　卷5268

喬、起囂切　卷5268

秉、音鍫　卷5268

鄡、七遙切，音鍫　卷5268

摻、七遙切　卷5268

搋、七遙切　卷5268

裝、通作裦𧜁　卷6523

樁、音莊，橛也　卷6524

倉、通作蒼　卷7506

匳、音倉　卷7518[133]

篬、七岡切。又丁羊切。通作箐　卷7518[134]

滄、凔滄、同上，通作滄　卷7518

牄、音倉　卷7518[135]

傖、七剛切　卷7518

汀、特丁切　卷7889

鞓、音廳　卷7895

---

132 《四聲篇海·手部》「撬、去堯切，—舉也」。

133 《字彙·匚部》:「匳，七岡切，音倉，古器」。

134 《玉篇·竹部》:「篬、七羊切，竹名」,《集韻·平陽》:「瑲鏘鎗創、千羊切……篬箐、竹名。或作箐」,《大典》形近而誤反切上字「千」為「丁」。參見《永樂大典小學書輯佚與研究》頁337。

135 《字彙·牛部》:「牄，千岡切，音倉，牛名」。

杍、湯丁切　卷7895

艼、又五剄切　卷7895

豿、音汀　卷7895

罒、又□□　卷7895

耓、耕也　卷7895

骬、音汀　卷7895[136]

艇、又音廷　卷7895

耵、音汀　卷7895

馨、通作馫　卷7960[137]

興、悅也，通作嬹　卷7960

佂、通作眐　卷8021

徰、賁仍切　卷8021

斺、音徵　卷8021[138]

癥、支庱切，病也　卷8021

兵、戍也　卷8275

精、米熟也　卷8526

油、脂油也　卷8841

抌、通作舀。又笑韻弋照切　卷8841

逌、于救切，音由，循也　卷8841

鹹、通作咁　卷9762[139]

函、《說文》「匣也」，謂可容一劒也　卷9762

---

136 《重訂直音篇・骨部》:「骬，音汀，腨骨」。

137 《四聲篇海・香部》:「馫、音馨」。

138 《重訂直音篇・方部》:「斺，音徵，旌旗柱」。

139 《正字通・口部》:「咁、河南切，音含，口有所銜也。又音銜，義同」，《重訂直音篇・口部》:「咁、胡甘切，乳也，又銜同」。據典籍文獻可知「咁」同「銜」，《大典》誤植「通作咁」三字於「鹹」字之下。

鋡、鋡、同上　卷9762

蔪、居咸切。又音堪　卷9762

翝、音咸　卷9762

溓、胡讒切　卷9762

鹹、胡讒切，鳥也　卷9762[140]

碞、疑咸切，咸韻，音嚴。又魯音切　卷9763

巖、疑嵰切，通作欃。又疑鹽切，嵌巖、山險也，巉、嶃巉，山高貌，岩山峯也　卷9763

疷、諸市切。又掌氏切　卷10112

抵、音疷　卷10112

底、諸氏切，通作厎厄秪砥又音脂。又諸市切，柱也　卷10112

坻、諸市切，著也　卷10112

疻、音止，應也，又作也　卷10112

滷、磠塷、同上　卷10877

桴、他胡切　卷10877[141]

鬗、音魯，髮也　卷10877[142]

膃、落猥切，又音礧。膇、同上　卷11076

瘟、落猥切。瘟，疿也。膃、同上　卷11076

郲、落猥切，音磊　卷11076

頪、落猥切，音纍。頛、同上　卷11076

膘、力軌切　卷11076

---

140 《字彙・鳥部》：「鹹、胡讒切，音咸，鳥也」。

141 《四聲篇海・木部》：「桴、他胡切，《說文》出橐山。又荒烏切」，桴字《廣韻》音郎括切、力輟切。《大典》抄寫者將「桴」字之釋義反切音讀誤植於「桴」字之下，參見《永樂大典小學書輯佚與研究》頁337。

142 《四聲篇海・髟部》：「鬗、朗古切，鬛也」，《字彙・髟部》：「鬗、朗古切，音魯。鬛也，又髮也」。

⿰雨畾、力軌切　卷11076

⿱大畾、音壘　卷11076[143]

⿰耒瓜、落猥切　卷11076

魁、口猥切，又音傀　卷11076

磈、烏賄切，通作碨磈嵔崣　卷11076

傀、口猥切　卷11076

顝、口猥切　卷11076

輠、口猥切，又音傀　卷11076

⿰亻匯、又口猥切　卷11076

尯、丘軌切　卷11076

頄、音軌，小頭也　卷11076

⿱丘𠂤、丘愧切，地名，在洛陽　卷11076

餧、弩罪切。鮾腇⿰月委、同上　卷11076

婑、奴罪切　卷11076

鯘、奴罪切　卷11076

⿺尢委、奴罪切。⿰歹妥腇⿺尢委痿、同上　卷11076

錘、錘爐烹物，成物之具也。又之瑞切　卷11076

⿸尸耑、又音捶，⿸厂尃。又之瑞切　卷11076

⿺尢水、式軌切。又音水　卷11076

睡、之累切　卷11076

⿱執瓦、執軌切　卷11076

蘂、通作[illegible][illegible]蕋⿰豸生⿰甤隹　卷11077

⿰女壴、時髓切。又音菙。又於避切　卷11077

⿺⻌旦、音蘂　卷11077

143 《重訂直音篇・大部》:「⿱大畾，音壘，大也」。

劚、音縈　卷11077

箠、《說文》「杖也」　卷11077

棰、時髓切。又將偽切　卷11077

蘳、又草木弱貌　卷11077

嶲、音髓　卷11077[144]

薶、胥里切　卷11077

摧、嶵、同上　卷11077[145]

觜、又音觜　卷11077

膟、又音觜　卷11077

葰、子罪切。又音摧。又音誶　卷11077

嗺、子罪切，口嗺頯頯也。又灰韻藏回切　卷11077

嘴、作嶲，子委切。又音唯，相欲伏也　卷11077

趡、又睢氏切　卷11077

髼、初委切，髮好也　卷11077

頯、丘軌切。又音跪，厚也　卷11077

跬、丘癸切，通作跙　卷11077

烓、丘癸切，又音跬　卷11077

抧、丘軌切，又音啓　卷11077

鄿、音管，縣名　卷11313

老、通作耆　卷11615

頂、顚通作訂，山巔也　卷11951

棷、倉苟切。又則構、仕垢二切　卷12148

謏、同上。又先了切。又所六切　卷12148

144 《重訂直音篇・山部》:「嶲，音髓，越嶲，郡名」。

145 《重訂直音篇・山部》:「摧、音觜，山林崇積貌。嶵、同上」。

詉、初九切，高聲也。出《類聚》　卷12148

趣、通作趀　卷12148

趣、倉苟切　卷12148[146]

娵、倉苟切　卷12148

鄹、倉苟切　卷12148

謅、倉苟切　卷12148

走、通作迹令赱㞫　卷12148

迵、音洞　卷13083[147]

侗、音洞　卷13083

霘、音洞，添也　卷13083[148]

憧、又昌容切　卷13083

衕、多動切，徿衕、直行貌　卷13083[149]

弄、古作□　卷13083

襱、良用切　卷13083

驡、良用切　卷13083

癃、癑、同上　卷13083

哢、胡恐切，哢哢、鳥聲也。喙、同上　卷13084

硿、呼宋切，礱硡、同上　卷13084

悾、苦送切　卷13084

倥、苦動切，音孔，倥傯、事多也　卷13084

146 《四聲篇海．走部》：「趣、千后切，走也，又七庾切」。

147 《字彙．辵部》：「迵，徒弄切，音洞，過也，徹也。《史倉公傳》『迵風，言風疾洞徹五藏也』」。

148 《五音集韻．去送》：「霘、水浪急也。徐寅《黃河賦》云『霟霘瀉鐵圍之北』也，昌黎子所添也。」韓道昭字伯暉，號昌黎子，「昌黎子所添也」意指霘字為韓氏所新增，「添也」非釋義。參見《永樂大典小學書輯佚與研究》，頁340。

149 《四聲篇海．彳部》：「衕、他孔切，徿一、直行貌」。

誇、嗰。又丘玉切　卷13084[150]

倕、居用切　卷13084

羫、古送切，又羊腔也，通作羫腔。又驅羊切。又江韻枯江切　卷13084

腔、苦孟切　卷13084

矼、切同上　卷13084

種、通作**秱**，古作穌　卷13194

甎、音衆　卷13194[151]

諥、知用切　卷13194

妕、又陟中切　卷13194

寺、又昌志切，守也，又法度所守也　卷13340

緻、知義切　卷13495

致、知義切　卷13495

制、古作剬　卷13496

賁、必轡切　卷13872

邲、彼義切，音祕　卷13876

妼、彼義切　卷13880

僤、音痺，止行人也。《漢書》「出称警，入言趩」，警者戒肅，趩者止行人。〈霍光傳〉「道上称趩」，漢儀法皇帝輦動，左右侍帷幄者称警，出殿則傳趩，止人清道。譁、同上。又質韻　卷13880

秘、彼義切　卷13880

痝、彼義切，音賁　卷13880

150 此條《索引》誤植為「窮」。

151 《字彙・瓦部》:「甎，之仲切，音眾，甕屬」。

皕、彼義切　卷13880

䩷、又刪韻布還切　卷13880

綼、將計切，音閉　卷13880

柋、彼義切　卷13880

娦、必至切，醜也　卷13880

嬉、又虛宜切，《博雅》「戲也、游也、美也」。通作娭，〈相如賦〉「吾欲往乎南娭」　卷13992

欷、香義切　卷13992

唏、啼鳴也　卷13992

黖、於既切，音墍　卷13992

摡、於既切，音戲　卷13992

咥、又知義切，音知。寘、同上　卷13992

豷、香義切，音戲　卷13992

呬、又丑利切　卷13992

餼、䬣、同上　卷13992

觿、香義切，音戲。觽、同上　卷13992[152]

吚、香義切　卷13992

嚱、香義切，音戲　卷13992

嘻噫、𡢕、香義切，音戲　卷13992

謕、香義切，音戲　卷13992

瘜、許既切　卷13992

孩、音欷　卷13992

攕、香義切　卷13992

152　《字彙・角部》:「觿、虛計切，音戲。好角」,《正字通・角部》:「觿、俗字。舊註訓與觽同，改虛計切音戲，分為二，非」。

娎、呼計切　卷13992

忚、呼計切，又𩐨韻，欺慢之貌　卷13992

䩤、虛乂切　卷13992

㣶、火季切　卷13992

譩、許既切，音欷　卷13992

欨、香義切，音戲，虛也　卷13992

𢓕、許未切，廢也　卷13992

系、筋也　卷13993

褉、又古鍩切　卷13993

榽、胡計切。又胡鷄切　卷13993

嫨、胡計切　卷13993

禊、音係　卷13993

劙、音携。劙、同上　卷13993

泜、音帝，即陳餘死處，《漢書》「斬餘泜水上」。泫、同上　卷14124

揥、𢴮音帝　卷14124

趆、音帝　卷14124[153]

遞、都計切，駭也　卷14124

骶、骸、都計切　卷14124

跐、䟨跤、同上，並都計切　卷14124

蝭、都計切，又杜奚切　卷14124

渧、都計切　卷14124

媞、又徒里切　卷14124

胝、都計切　卷14124

153　《重訂直音篇．走部》：「趆，音帝，走貌」。

㿃、都計切，下部病也　卷14124[154]

摕、都計切　卷14124

媂、都計切　卷14124

厎、又知義切，《說文》致也　卷14124

僀、都計切　卷14124

螮、都計切　卷14124[155]

㖒、呧、音帝，呵也　卷14124

楴、音替，所以擿髮。《詩詁》云：「女子着楴於首，男子佩之」。《詩》「象之楴也」，注疏云：「以象骨搔首」，若今篦兒。

揥、同上。又典禮切　卷14125[156]

涕、通作鵜鶙鵜鶗洟鷉嚏䴘嚏嚏嚔　卷14125

殢、殢殀、同上，並音替　卷14125

歕、又呼計切，通作歕歕　卷14125

悷、音替　卷14125[157]

潪、音替，水濺也　卷14125

冀、吉器切　卷14384

悇、音絮，又懷憂也　卷14544

楚、心利切　卷14544[158]

鋪、箸門鋪首也，從金甫聲，所以銜環者，作龜蛇之形，以銅為

154　《字彙·疒部》：「㿃、直意切，音治，久痢也，下重而赤白曰㿃。又當蓋切，音帶，赤㿃、白㿃，婦人下部病，亦單作帶」。

155　此條《索引》失收。

156　同前註。

157　《字彙·心部》：「悷，他計切，音替，寧悷、心安也」。

158　《玉篇·心部》：「憷、初去切，心利也」，《集韻·去御》：「憷、創據切，心利也。通作楚」。《大典》形近而誤字頭「憷」為「楚」，又誤以釋義「心利」為反切。參見《永樂大典小學書輯佚與研究》，頁341。

之，故名金鋪。又虞韻滂模切　卷14574

釜、扶古切　卷14912

輔、四輔，官名：左輔、右弼、前疑、後丞。通作黼黼　卷14912

誡、居隘切　卷15073

介、古隘切。細微也，楚曰儭，晉曰絓，秦曰挈。物無耦曰特，獸無耦曰介。《傳》曰：「逢澤有介麋」。飛鳥雙鴈曰桀，出《方言》　卷15075

价、通作槩概誁　卷15075

鐓、又都回切，鐵也　卷15143

奪、奴帶切　卷15143

鞔、又補靴也　卷15143

銳、徒會切，又以芮切　卷15143

�、杜外切　卷15143

嵟、同上　卷15143[159]

崔、徒猥切　卷15143

蓶、徒猥切　卷15143

峞、戈稅切　卷15143

粇、杜外切，屑米也　卷15143

鑴、徒猥切　卷15143

隧、徒猥切　卷15143

靠、音瀆　卷15143

癀、徒對切，下部病也　卷15143

黏、鮦、同上　卷19416

159　《類篇・山部》：「嵟、徒對切，山名。或書作嶎」。

㕘、阻懺切　卷19416

站、𥩟、竹慼切，坐立不動貌　卷19416[160]

𤢖、又子鑑切，音覽　卷19426

蘸、又子鑑切，音蘸　卷19426

湛、丈陷切，又丑甚切，又長琰切　卷19426

讒、又士陷切，言也。又士衫切，又輕言也，又以言毀人也。

儳、同上　卷19426

鑱、又芳萬切，匹偶也　卷19426[161]

䫲、音譖，又士陷切　卷19426

詀、又陟陷切，通作謙　卷19426

艬、又士陷切，音儳，船也　卷19426

鬵、藏濫切，又子斬切。𩠴、同上　卷19426

躔、又士陷切　卷19426

涔、藏濫切，水深貌。又士陷切　卷19426

隴、又士陷切　卷19426

攙、又士陷切　卷19426

饞、通作𩟧，同上義　卷19426

摲、士陷切。又慈染切，琰韻，除也。又初陷切　卷19426

目、通作𥆞，目古作𣍝　卷19636

摝、音六　卷19743

---

160 《類篇．力部》：「站、知咸切，坐立不動」，《四聲篇海．木部》：「𥩟站、二，竹咸切，坐立不動皃」。《大典》形近而誤釋音反切下字「咸」為「慼」。參見《永樂大典小學書輯佚與研究》，頁340。

161 《四聲篇海．女部》：「嬎嬔、芳万切，匹偶也」，《字彙．女部》：「嬔、方諫切，音販，匹偶也」；《玉篇．金部》：「鑱、仕衫仕懺二切，刺也、鏨也」。《大典》抄寫者將「嬔」字之釋義誤植於「鑱」字之下，參見《永樂大典小學書輯佚與研究》，頁338。

逯、行謹皃，又龍玉切　卷19743

鱳、音祿　卷19743

椂、音祿　卷19743

蝝、盧谷切。睩、同上　卷19743

諑、力足切　卷19743

𦑱、飛也　卷19743[162]

襛、又作𧝓　卷19743

𤜟、又食牛也　卷19743

塶、通作鄜　卷19743

祿、力玉切　卷19743

膔、音六。䐒、同上　卷19743

蘦、蘦葱、草名。蔍、同上　卷19743

趢、音祿，趢趚、獸走聲　卷19743

用、獸名　卷19743[163]

䓐、音螰，草也　卷19743

跼、曲身貌，又從也　卷19782

𠣾、同上　卷19782

耦、𦓆、同上　卷19782[164]

𪈗、渠竹切　卷19782

侷、同上　卷19782

駶、音局　卷19782

挶、渠竹切　卷19782

162 《廣韻・入屋》:「𦑱，水上飛也」,《集韻・入屋》:「𦑱，上飛皃」,《正字通・羽部》:「𦑱，譌字，古人必不因水上飛造𦑱字，曲說無稽」。

163 《佩觿・卷下》:「角甪、上古月翻，頭角。下來谷翻，甪里先生」。

164 《字彙補・耒部》:「𦓆、同耦」。

寚、音局　卷19782[165]

鬗、通作局，《詩》「予髮曲局」　卷19782[166]

莍、渠竹切，木實也。梀、同上，又渠求切　卷19782[167]

梂、渠竹切，木實也。梀、同上，又尤韻渠求切　卷19782[168]

踘、音局，行促也　卷19782

躘、其目切，你躘倒也　卷19782

伏、郁、同上　卷19783

服、又房九切　卷19785

竹、又許竹切　卷19865

壹、單也，又皆也　卷20309

嬄、於悉切　卷20309

壼、音乙　卷20309

㕦、於筆切　卷20309[169]

辝、以吉切，去也　卷20309[170]

職、亟愛也，東齊海岱謂之亟，詐欺也，出《方言》，自關而西秦晉之間，凡相敬愛謂之亟，吳越間謂之憐職　卷20478

陌、通作百　卷22180

佰、《漢志》「仟佰之得」，仟謂千錢，佰謂百錢，言數多相去，

---

165 《字彙・宀部》:「寚，渠玉切，音局，不敢伸也」。

166 《詩・小雅・采綠》:「予髮曲局，薄言歸沐」。

167 《爾雅・釋木》:「椒、榝醜，莍」，《字彙・艸部》:「莍，巨鳩切，音求，椒也。又茱實」。《大典》抄寫者將「梂」字之釋義與反切誤植於「莍」字之下。

168 《玉篇・木部》:「梂，渠鳩切，櫟實」，《集韻・入屋》:「梂，木實」。《廣韻・上梗》:「梀，木可為笏」，《字彙・木部》:「梀，於丙切，音永，木可為笏。又居六切，音菊，櫟實也」。

169 此條《大典》書名誤作「字溙筆義」。

170 辝為辭之異體，《玉篇》音似咨切、《廣韻》音似茲切，邪母之韻。《大典》形近而誤釋音反切上字「似」為「以」。參見《永樂大典小學書輯佚與研究》，頁340。

或彼一此百，或此一彼百也　卷22180[171]

貊、帞、同上　卷22180[172]

莫、蓦驀、同上　卷22180

四　考證

《字灤博義》二十六卷，《內閣藏書目錄》云：「鈔本無序，莫詳姓氏」，是知作者已不可考。而書名之由來，可從「灤」與「博義」兩詞著手：

（一）「灤」字為水深廣之義：「灤」字首見於《玉篇・水部》：「灤、依拳切，淵灤、水深皃」，於《廣韻》則上平聲、下平聲共三見：《廣韻・平刪》：「灤、澹灤」、《廣韻・平仙》：「灤、水深」、《廣韻・平仙》：「灤、水深皃」，音讀有烏關切（音灣）與於緣切（音淵）二音。

（二）「博義」指義理博大精深：遍考各藝文志與公私書目，書名有作「博議」者，如宋代呂祖謙《東萊先生左氏博議》二十五卷、清代羅美《內經博議》四卷，「博義」則未見用於其他書名。據筆者查考，「博義」一詞當取資於佛典，原意指佛法之博大精深，以下援引三部佛典為證：

《國清百錄》：

幽宗博義若挹海而無窮，辯句清辭似懸河而自瀉。[173]

171　《漢書・食貨志》：「亡農夫之苦，有仟伯之得」，顏師古注：「仟謂千錢，伯謂百錢。伯音莫白反，今俗猶謂百錢為一伯」。

172　《集韻・入陌》：「袹帞貊、邪巾袹頭，始喪之服。或从巾，亦作貊」。

173　（隋）沙門灌頂纂：《國清百錄》（臺北市：影印新修大正藏經委員會，《大正新修大藏經》影印大正一切經刊行會排印本），卷4。

《續高僧傳・釋慧光》：

> 光執卷覽文曾若昔習，旁通博義，窮諸幽理。[174]

《大般若經綱要・般若綱要緣起》：

> 資微難獲弘經，時暫欣聞博義。[175]

綜合以上兩點，個人以為《字潫博義》命名之原意，當指此書所收文字字數眾多，如淵潫般既深且廣，其中蘊含了形音義豐富的文字學學理。

此書之編撰時代，可由以下幾個角度討論：

（一）《字潫博義》不見載於元代以前之目錄，而首見於明代目錄。

（二）《永樂大典》成書於明成祖永樂六年，已大量徵引《字潫博義》，是知《字潫博義》之成書時間，必在編纂《永樂大典》之前。

（三）《字潫博義》徵引前代典籍而標明出處者，惟有金代的字書《四聲篇海》[176]，其例有：

甕、於恭切，長頸瓶也，出《類聚》。

壺、弗、音壺，古器也，出《類聚》。

諔、初九切，高聲也。出《類聚》。

---

174 （唐）釋道宣撰：《續高僧傳》（臺北市：影印新修大正藏經委員會，《大正新修大藏經》影印大正一切經刊行會排印本），卷21。

175 （清）葛䯄提綱：《大般若經綱要》，收入《新纂續藏經》，冊24。

176 《四聲篇海》原名《改併五音類聚四聲篇海》，又省作《改併五音類聚四聲篇》，《字潫博義》引用時省作《類聚》，《永樂大典》引用時省作《五音類聚》。

《四聲篇海》原為金代韓孝彥撰，今日可見為經其子韓道昭依聲母五音改併者，有殘存金崇慶（1212年）刊本[177]及多種明代重刊本，是知《字潫博義》之成書必在金崇慶（南宋寧宗嘉定年間）之後。

（四）《大典》徵引小學書的排列次序，大致依時代先後排列，以下是《字潫博義》主要的幾種排列方式：

《韻會舉要》—《字潫博義》—《聲音文字通》　卷490「眾」
《韻府群玉》—《字潫博義》—《聲音文字通》　卷913「屍」
《六書正譌》—《字潫博義》—《聲音文字通》　卷2808「梅」
《存古正字》—《字潫博義》—《聲音文字通》　卷8275「兵」
《正字韻綱》—《字潫博義》—《聲音文字通》　卷8526「精」
《六書統》—《字潫博義》—《聲音文字通》　卷11076「雷」

列於《字潫博義》之前的六部，均為元代字書，而《聲音文字通》則為明代著作。

綜上所考，進一步縮小時代上下限之後，筆者以為《字潫博義》之編撰時代應為元代末年抑或明初，而後《永樂大典》編纂時被大量徵引。正統年間楊士奇清點秘閣藏書，撰成《文淵閣書目》時，其書尚存；萬曆年間孫能傳、張萱撰《內閣書目》時，猶見其書。

以下再依所輯得佚文，略述《字潫博義》之編排與說解內容。

（一）編排

《內閣藏書目錄》云：「每字古俗重文皆備，以天文、時令、地理至通用，分二十六門。」據其所載，可知《字潫博義》之編排是依收

177 《泰和五音新改併類聚四聲篇》，今存卷1至卷3，金崇慶間刊元代修補本，國家圖書館藏。

錄字的屬性內容，分為天文、時令、地理……通用等二十六個門類，可惜其細目今日已不可知。這樣的編撰方式，與一般吾人熟悉的字書分部如劃分部首（《說文》）、或以韻統字（《干祿字書》）不甚相同，《字潫博義》的編撰體例似乎更接近類書。

（二） 說解內容

1 先釋音後釋義

《字潫博義》之說解方式，先約舉數例如下：

暈、丘愧切，地名，在洛陽

楴、音替，所以摘髮。《詩詁》:「云女子着楴於首，男子佩之。《詩》「象之楴也」，注疏云:「以象骨搔首」，若今篦兒。揥、同上。又典禮切

逌、于救切，音由，循也

甇、於恭切，長頸瓶也，出《類聚》

戺、諸市切。又掌氏切

嬉、又虛宜切，《博雅》「戲也、游也、美也」。通作娭，〈相如賦〉「吾欲往乎南娭」

踽、曲身貌，又從也

根據上引諸條佚文，可以明白《字潫博義》之說解方式，首先為釋音，或用反切（如例1「丘愧切」），或為直音（例2「音替」），或反切直音並用（如例3「于救切，音由」）；其次釋義，最後則是補充說明此字的其他資料，包括了收錄此字之出處（如例4「出《類聚》」）、又音（如例5「又掌氏切」）、又義（如例7「又從也」）、字形異體或通作（如例2「揥、同上」、例6「通作娭」）。

2 以反切釋音

反切是《字滚博義》釋音的基本方式，其例有：

䔰、房脂切
趣、倉苟切
骶、都計切
舜、以吉切，去也

根據筆者觀察，此書切語上下字的使用，大致承襲前代字書韻書，如《集韻》與《四聲篇海》而來。如「襱」字，《字滚博義》音「良用切」，與《集韻・去用》同。但值得注意的是，《字滚博義》也改動了部分的切語上字或下字，甚至出現了切語上下字與前代字書完全不同的情況，如「湖」字，《集韻・平模》「洪孤切」，《字滚博義》作「弘孤切」，切語上字不同；又如「撬」字，《四聲篇海・手部》「去堯切」，《字滚博義》作「去遙切」，切語下字不同；又如「趣」字，《四聲篇海・走部》「千后切」，《字滚博義》作「倉苟切」，切語上下字均不同。

3 以直音釋音

除了反切之外，用一個同音字「音某」標示音讀的直音法，也是《字滚博義》釋音的基本方式，其例有：

飬、音妖
劙、音檠
抜、音欷
寙、音局

考諸《玉篇》(《大廣益會玉篇》)、《四聲篇海》，即是同一部字書之中同時反切、直音並用[178]。根據筆者的考察，《字滚博義》與《四聲篇海》之間有密切的關係（說見前），自然會承襲其反切與直音並用的釋音方式。

4 反切復加直音

在本次所輯佚文中，發現了一個較特殊的情況，就是《字滚博義》在一字之下，同時使用反切與直音兩種釋音方式，而且使用次數頗多。

進一步分析，筆者發現明代梅膺祚所編撰的字書《字彙》，以及其後的《字彙補》、《正字通》，更大量地同時使用反切與直音。在《字彙》卷首的〈字彙凡例〉第四條，提到了這種情況：

> 「音字」：經史諸書，有音者無切，有切者無音。今切矣，復加直音。直音中有有聲無字者，又以平上去入四聲互證之，如曰：「某平聲」、「某上聲」、「某去聲」、「某入聲」。至四聲中又無字者，則闕之。中有音相近而未確者，則加一近字曰：「音近某」。

「今切矣，復加直音。」說明了同時使用反切與直音作為釋音的基本方式，可惜並未說明如此作的原因。以下舉6個字例，將《字滚博義》及《字彙》的釋音內容，條列如下：

瘔、五乎切，音吾

178 以《玉篇・女部》為例，部內之字釋音方式即是反切、直音並用，例如：「女、尼与切，男女也……」、「姓、思正切，姓氏」、「姘、音靜，靜也」。

　　䖘、五乎切，音吾，獸名（《字彙．爿部》）
　　螐、哀都切，音烏
　　螐、汪湖切，音烏。……（《字彙．虫部》）[179]
　　郲、落猥切，音磊
　　郲、魯猥切，音壘。……（《字彙．邑部》）
　　頛、落猥切，音累
　　頛、盧對切，音壘。頭不正也（《字彙．頁部》）
　　倥、苦動切，音孔，倥傯、事多也
　　倥、苦紅切，音空。……又康董切，音孔。……（《字彙．人部》）
　　豷、香義切，音戲
　　豷、許意切，音戲。……（《字彙．豕部》）

比對兩者內容後，可得出以下幾點情況：

（1）《字潫博義》6個反切復加直音的字例，在《字彙》也全部同時使用反切與直音。

（2）「䖘」字《字潫博義》與《字彙》釋音「五乎切，音吾」，文字完全相同。

（3）「螐」、「倥」、「豷」三字，《字潫博義》與《字彙》使用的直音字相同。

綜上所論，《字潫博義》使用反切復加直音，筆者以為可能的原因首先是《字潫博義》作者參酌各家字書、韻書後，於諸書反切與直音兼容並收。其次是《字潫博義》之釋音方式以反切為主，而以直音

179 《廣韻．平模》：「哀都切」、《集韻．平模》：「汪湖切」、《四聲篇海．虫部》：「音烏」。

為輔，目的在於讓讀者更清楚了解該字的音讀。另外值得注意的是，觀察反切直音並用之現象，發現時代較早的《字潫博義》與《字彙》，兩者之間可能有某種承襲關係，尚待吾人進一步深考。

5 又音

《字潫博義》以「又某某切」反切及「又音某」直音的方式說明又音，可作為研究元明之際語音變遷之參考，其例有：

綀、山模切，又音初

婕、時髓切。又音蓳，又於避切

兡、又刪韻布還切

逯、行謹皃，又龍玉切

6 釋義

釋義是字書的主要目的，以下約舉數例，說明《字潫博義》釋義之主要來源。

觹、俯移切，橫角為之觹

案：《集韻・平支》：「觹、橫角為之觹」，此條釋義以《集韻》為本。

甇、於恭切，長頸瓶也，出《類聚》

案：《四聲篇海・瓦部》：「甇、於耕切，長頸瓶也」，此條釋義明言「出《類聚》」。

徆、多動切，徿徆、直行貌

案：《四聲篇海・彳部》：「徆、他孔切，徿一、直行貌」，此條釋義以《四聲篇海》為本。

佰、《漢志》「仟佰之得」，仟謂千錢，佰謂百錢，言數多相去，或彼一此百，或此一彼百也

案：考《漢書．食貨志》：「亡農夫之苦，有仟伯之得」，顏師古注：「仟謂千錢，伯謂百錢。伯音莫白反，今俗猶謂百錢為一伯。」此條釋義節引自《漢書》與顏師古注。

7 載異體，辨通同

根據所輯佚文，《字潹博義》除了釋音釋義之外，另一特色即是廣載字形之異體及辨別文字的通用，主要以「古作」、「通作」、「同上」來呈現。其例有：

(1) 古作

遵、古作䢦

案：考《集韻．平諄》：「遵䢦、蹤倫切，《說文》：『循也』，古作䢦」，是知《字潹博義》據《集韻》而收錄古體「䢦」。

制、古作㓻

案：考《史記．五帝本紀》：「帝顓頊高陽者……養材以任地，載時以象天，依鬼神以㓻義」，《正義》：「㓻，古制字」，是知《字潹博義》據《史記．五帝本紀正義》之說而收錄古體。又考《集韻．去聲．祭韻》：「制㓻制、征例切……古作㓻制」、《類篇．刀部》：「制㓻制、征例切……古作㓻制」以「制」之古體作「㓻」者，疑為「制」之形譌。

(2) 通作

馨、通作馫

案：「馫」字未見於宋元以前小學書，《四聲篇海．香部》：「馫、音

馨」[180]，《字滲博義》則將「馫」視為「馨」之通作字，至《字彙補．香部》：「馫、虛陵切，音馨，香氣也」，已有完整的釋音與釋義。

髩、通作局，《詩》「予髮曲局」

案：《詩．小雅．采綠》：「予髮曲局，薄言歸沐」，《字滲博義》以《詩．采綠》為書證，「髩」為從髟局聲之後起形聲字，故云「通作局」。

(3) 同上

摧、嶵、同上

案：《集韻．上賄》：「隹摧嶵、山皃，《莊子》『山林之畏隹』，或作摧嶵」、《五音集韻．上賄》：「隹摧嶵、山皃，《莊子》『山林之畏隹』」，是知《字滲博義》根據前代韻書定「摧」、「嶵」二字為異體。

伏、郱、同上

案：考《五音集韻．入屋》：「伏、房六切，匿藏也，伺也，隱也……郱、匿也，容也，隱也」，「伏」、「郱」兩字同音而義相近，故《字滲博義》定二字為異體。

180 據《四聲篇海》凡例，此字由《類篇》增添，惟今本《類篇》未見。

第三章
《永樂大典》所引韻書鉤沉

本章據典籍撰成時代先後，依次輯錄《永樂大典》所引韻書：《精明韻》、《五書韻總》、《經史字源韻略》、《正字韻綱》、《韻會定正》、《韻會定正字切》以及《廣韻總》。

第一節　《精明韻》

一　提要

《精明韻》　永樂大典本

宋鄭芝秀撰。芝秀字雲瑞，號月山，信州貴溪人。文學冠一時，諸人皆以大魁期之，嘉定四年與族子會同登進士，仕終翰林院學士。著有《月山文集》，今已亡佚。是書著錄於《秘閣書目》、《菉竹堂書目》，《文淵閣書目》已云「闕」，今自《永樂大典》可輯得佚文十條。

二　著錄

《文淵閣書目．昃字號第一廚書目．韻書》：

> 《精明韻》一部一冊闕。[1]

1　（明）楊士奇等編：《文淵閣書目》（北京市：書目文獻出版社，《明代書目題跋叢刊》影印清顧修輯《讀畫齋叢書》本），卷12。

《秘閣書目·韵書》：

《精明韵》一。[2]

《菉竹堂書目·韻書》：

《精明韻》一冊。[3]

三　佚文

本節據《永樂大典》輯得《精明韻》佚文10條，原書篇卷次第已不可得，今依《大典》韻次條列如後。

芻、飛芻輓粟釋　卷2406
椿、唐封椿庫　卷6524
鶬、又七年切，和也。《詩》「八鸞鶬鶬」　卷7518
銜、銜非　卷9762
喦、作岩非　卷9763
嗾、嗾嫯　卷12148
走、曳兵而走。《詩》音奏　卷12148
冀、地名　卷14384
處、置諸安處　卷14544
百、音陌　卷22180

2　（明）錢溥：《秘閣書目》（臺南市：莊嚴出版社，《四庫全書存目叢書》影印清鈔本）。

3　（明）葉盛：《菉竹堂書目》（臺南市：莊嚴出版社，《四庫全書存目叢書》影印清初鈔本）。

四　考證

鄭芝秀又作鄭之秀[4]，字雲瑞號月山，南宋信州貴溪人（今江西省貴溪市）。文學冠一時，諸人皆以大魁期之，宋寧宗嘉定四年（1211年）辛未，與族子鄭會[5]同登進士。仕終翰林院學士，生平事蹟見清道光修《貴溪縣志・人物・文苑》[6]。著有《月山文集》，今已亡佚，《全宋詩》收有詩作〈芙蓉峰〉一篇[7]。

國家圖書館藏元大德本《新編事文類聚翰墨大全・第宅門・文類》[8]有鄭之秀〈清端樓賦〉（參見書影三）、〈牖軒銘〉作品兩篇，彌足珍貴，學者仝建平論及大德本《新編事文類聚翰墨全書》之價值時，已有提及：

> 通過明初覆大德本《翰墨大全》來簡略分析大德本《翰墨大全》改編時被刪節內容的輯佚價值……覆大德本《翰墨大全》後丁集卷五「第宅文類」被改編本整卷刪掉……鄭之秀〈清端樓賦〉與〈牖軒銘〉……三位作者時代不詳，但大致也應該生活於宋代至元代前期，這樣也可以輯補《全宋文》或《全元文》之失。[9]

4　《永樂大典》、《新編事文類聚翰墨大全》作鄭之秀。

5　鄭會字文謙，號亦山。官至禮部侍郎，著有《亦山集》。

6　（清）胡宗簡修、張金鎔等纂：《貴溪縣志》（中國國家圖書館藏清道光四年刻本），卷22之3，頁3上。

7　北京大學古文獻研究所編：《全宋詩》（北京市：北京大學出版社，1998年12月），第56冊，頁35246。

8　見（元）劉應李編：《新編事文類聚翰墨大全》（國家圖書館藏元大德十一年刊巾箱本），後丁集卷5。

9　仝建平：《新編事文類聚翰墨全書研究》（銀川市：寧夏人民出版社，2011年6月），頁152-153。

全氏認為鄭之秀為宋末元初人，其說可從。筆者復根據相關史料，考證鄭之秀、鄭芝秀應為同一人，理由如下：

（一）《新編事文類聚翰墨大全》所錄〈清端樓賦〉「淳祐天子……」、「上饒鄭之秀……」之語比對清代《貴溪縣志》，活動時間同為南宋寧宗、理宗間。

（二）上饒、貴溪同在江西省東北，元明時期同屬廣信府，兩地的地緣關係極為接近。

（三）明代亦有方志將鄭芝秀記載為鄭之秀，可為旁證：《嘉靖廣信府志・山川・貴溪縣》云：

> 月山，以形似名，旁有山，亦如之。居人鄭之秀以月山為號，其族子會因號亦山，二人才名蓋相埒云。[10]

第二節 《五書韻總》

一 提要

《五書韻總》五卷 永樂大典本

宋高衍孫撰。衍孫字元長，號勉齋，四明人。衍孫興寄冠珮，清逸儼整，如晉世圖畫賢士。嘉定十一年為嘉定首任知縣，立孔廟宣揚教化，官至宣教郎。是書篆、隸、真、行、草一字五體，別體皆作小字，隨體分註，可備初學者用。原書不存，《文淵閣書目》已云「闕」，今自《永樂大典》可輯得佚文四十二條，篆體八十。

---

10 （明）張士鎬、江汝璧等纂修：《廣信府志》（臺南市：莊嚴出版社，《四庫全書存目叢書》影印明嘉靖刻本），卷2，頁19下。

二 著錄

《五書韻總》一書屢見於歷代書目，今依時代先後次序排列如下：
《學古編·附器用品十一則》：

> 高衍孫《五書總韻》五卷。衍孫字□□，四明人。此書篆、隸、真、行、草一字五體，別體皆作小字，隨體分註，可備初學者用，間有差處，宜自斟酌。[11]

《法書考·辨古·古文篆隸》：

> 高氏《五書韻總》。五卷。篆、隸、真、行、草五體俱備，可助初學，間有差處。[12]

《文淵閣書目·昃字號第一廚書目·韻書》：

> 《學書韻總》一部四冊闕。

《秘閣書目·韵書》：

> 《李書韵總》四。

11 （元）吾衍：《學古編》（臺北市：藝文印書館，《百部叢書集成》影印明萬曆周履靖輯刊夷門廣牘本），下卷。

12 （元）盛熙明：《法書考》（臺北市：臺灣商務印書館，《四部叢刊續編》影印鈔本），卷1。

《菉竹堂書目．韻書》：

《學書韻總》四冊。

《國史經籍志．經類小學．書》：

《五書韻總》　卷，高衍孫。[13]

《絳雲樓書目．補遺》：

高氏《五書韻總》。名失記。[14]

《千頃堂書目．小學類補》：

高衍孫《五音韻總》。《學古編》「衍孫，四明人」，憲敏孫。按：宋嘉定時分崑山、海為縣，即名嘉定，衍孫首知縣，遂居焉，今子孫為嘉定人，詳《敬止錄》。[15]

《小學考．聲韻四》：

---

13 （明）焦竑：《國史經籍志》（臺南市：莊嚴出版社，《四庫全書存目叢書》影印明萬曆三十年陳汝元函三館刻本），卷2。

14 （明）錢謙益：《絳雲樓書目》（上海市：上海古籍出版社，《續修四庫全書》影印清嘉慶二十五年劉氏味經書屋抄本）。

15 （清）黃虞稷撰，瞿鳳起、潘景鄭整理：《千頃堂書目》（上海市：上海古籍出版社，2001年7月），卷3。

高氏衍孫《五音韻總》。焦氏《經籍志》五卷。佚。[16]

清乾隆修《鄞縣志・藝文上・子》：

高衍孫《五書韻總》五卷。《聞志》，《學古編》曰：「四明高衍孫著，《五書韻總》五卷，此書篆隸眞行，一字五體，別體皆作小字，隨體分注，可備初學者用。《脉圖》、《清容居士集》。」[17]

三　佚文

本節據《永樂大典》輯得《五書韻總》佚文42條，據《學古編》、《法書考》所載，分為五卷。

卷一　上平聲

上平聲收錄佚文13條，篆形27個。

終、篆書：　卷489
頌、篆書：　卷540
庸、篆書：  　卷541
雝、篆書：　卷661
屍、篆書：　卷913
壺、篆書：　卷2254
烏、篆書：　卷2345

16 （清）謝啟昆：《小學考》（上海市：漢語大詞典出版社，影印清光緒浙江書局本），卷32，頁22上。

17 （清）錢維喬修、錢大昕纂：《鄞縣志》（臺南市：莊嚴出版社，《四庫全書存目叢書》影印清乾隆五十三年刻本），卷21，頁46上。

初、篆書：  卷2406
踈、篆書：  卷2408
羆、篆書：  卷2755
卑、篆書：  卷2806
丕、篆書：  卷2807
遵、篆書： 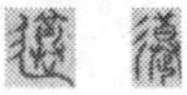 卷3586

卷二 下平聲

下平聲收錄佚文10條，篆形16個。

烟、篆書：  卷4908
遼、篆書： 卷5244
倉、篆書： 卷7506
滄、篆書： 卷7518
汀、篆書： 卷7889
興、篆書：  卷7960
兵、篆書：  卷8275
精、篆書：  卷8526
逌、篆書：  卷8841
鹹、篆書： 卷9762

卷三 上聲

上聲收錄佚文4條，篆形7個。

虜、篆書： 卷10876
老、篆書： 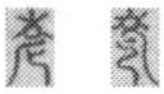 卷11615
頂、篆書： 卷11951
鼎、篆書： 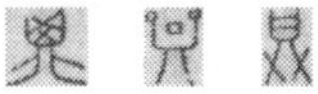 卷11956

卷四 去聲

去聲收錄佚文11條，篆形21個。

動、篆書：卷13082

閧、篆書：13084

賁、篆書：卷13872[18]

既、篆書：卷13992

愾、卷13992

愬、篆書：卷13992

槩、篆書：卷13992

絜、篆書：卷14544

介、篆書：卷15075

憝、篆書：卷15143

銳、篆書：卷15143

卷五 入聲

入聲收錄佚文4條，篆形9個。

目、篆書：卷19636

慮、篆書：卷19784

服、篆書：卷19785

麥、篆書：卷22181

四 考證

高衍孫字元長，一字洪緒，號勉齋，四明人，先祖高閌、高文虎

18 書名誤省為「高勉齋學」。

及族兄高似孫（1158-1231）俱有文名。衍孫興寄冠珮，清逸儼整，如晉世圖畫賢士，宅旁植水竹奇石，號曰「竹墅」。南宋寧宗嘉定十一年（1218）為嘉定縣首任知縣，立孔廟宣揚教化，官至宣教郎。另撰有《增修互注禮部韻略》、〈嘉定創縣記〉、〈脈圖〉等，生平事蹟見明正德修《姑蘇志·宦蹟》[19]及清光緒修《嘉定縣志·職官·名宦》[20]。

全書依四聲釐為五卷，每字下列有篆、隸、真、行、草五種書體，以篆書為主，別體皆作小字，隨體分註，以備初學者用，可惜《永樂大典》只收錄篆書一種形體，無法窺其全貌。

此書書名各家著錄頗為不同，吾衍《學古編》作《五書總韻》，《法書考》、《國史經籍志》、《絳雲樓書目》作《五書韻總》，《永樂大典》、《文淵閣書目》皆作《學書韻總》，《千頃堂書目》、《小學考》則作《五音韻總》。今據其書收錄書體之性質，定為《五書韻總》。

第三節　《經史字源韻略》

一　提要

《經史字源韻略》四卷　永樂大典本

元張肅撰。張肅字子敬，河中人。為官歷任行省郎中、湖南宣慰司都事。《內閣藏書目錄》云：「即沈約韻也，以四聲分卷，入聲闕數帙。」原書已不存，今自《永樂大典》可輯得佚文十一條。

---

19 （明）林世遠、王鏊等纂：《姑蘇志》（北京市：書目文獻出版社，《北京圖書館古籍珍本叢刊》影印明正德刻嘉靖續修本），卷41，頁25下，〈宦蹟五〉。

20 （清）程其珏修、楊震福等纂：《嘉定縣志》（北京市：國家圖書館出版社，《地方志人物傳記資料叢刊》影印清光緒七年刻本），卷13，頁1下，〈職官志下·名宦〉。

二　著錄

《秘閣書目·韵書》:

《字原韵畧》二。

《菉竹堂書目·韻書》:

《字原韻畧》二。

《內閣藏書目錄·字學部》:

《經史字源》二冊不全。即沈約韻也，元張子敬訓釋。以四聲分卷，入聲闕數帙。[21]

《千頃堂書目·小學類補》:

張子敬《經史字源》。

《補遼金元藝文志·經部·小學》:

張子敬《經史字源》。[22]

---

21 （明）孫能傳、張萱編：《內閣藏書目錄》（上海市：上海古籍出版社，《續修四庫全書》影印清遲雲樓抄本），卷5，頁3上。

22 （清）倪燦：《補遼金元藝文志》（上海市：上海古籍出版社，《續修四庫全書》影

《元史藝文志・經・小學類》：

> 張子敬《經史字源》。[23]

《中國文字學書目考錄・元明時期》：

> 《經史字源》（亡），《補元史藝文志》，元張子敬撰。此書見錢大昕《補元史藝文志》，張子敬事迹無考。[24]

三　佚文

本節據《永樂大典》輯得《經史字源韻略》佚文11條[25]，據《內閣藏書目錄》所載，分為四卷（平聲1條、上聲6條、去聲4條）。

卷一　平聲

郣、《春秋》「取郣」，國名　卷909

卷二　上聲

厎、待也。止也　卷10112

揣、《說文》「量也」，試也、度也，又丁果切　卷11076

捶、又主縈切　卷11077

印清光緒刻廣雅書局叢書本），頁23上。

23 （清）錢大昕補：《元史藝文志》（上海市：上海古籍出版社，《續修四庫全書》影印潛研堂全書本），卷1。

24 劉志成：《中國文字學書目考錄》（成都市：巴蜀書社，1997年8月），頁129。

25 丁治民：《永樂大典小學書輯佚與研究》（北京市：商務印書館，2015年4月），考得10條，參頁68-69，漏輯卷11077「箠」。

箠、又主蘂切，《說文》「擊馬策也」　卷11077

痯、古滿切　卷11313

取、倉苟切。又七庚切　卷12148

卷三　去聲

寺、侍吏切。《周禮》有「寺人」，《詩》「寺人之令」，內小臣也　卷13340

憙、《穀梁》「陳侯憙獵」，好也　卷13992

繫、縛繫，《易》「繫於金柅」　卷13993

攙、又仕懺切，攙也。又士銜切　卷19426

四　考證

張肅[26]（？-1278）[27]字子敬，元代河中人[28]，以字行，正史無傳。筆者翻檢元代各種典籍，略得其人生平事蹟梗概。耶律鑄（1221-1285）有〈次張子敬游玉泉詩韻〉七律一首：

---

26 （金）元好問〈潁亭留別〉詩，詩題下自注云：「同李治仁卿、張肅子敬、王元亮子正分韵得畫字，《唐文粹》陳寬有〈潁亭記〉。」施國祁注云：「張肅子敬、《敬齋古今黈》『予姪婿張子敬』」參見（清）施國祁：《元遺山詩集箋注》（上海市：上海古籍出版社，《續修四庫全書》影印清道光二年南潯瑞松堂蔣氏刻本），卷1，頁7，參見書影四。

27 （元）王惲〈張子敬提刑挽章〉詩，詩題下注云：「至元十五年六月十五卒。」見《秋澗集》（臺北市：臺灣商務印書館，影印《文淵閣四庫全書》冊1200-1201），卷18，頁3下-4上。

28 元好問〈癸巳歲寄中書耶律公書〉：「時輩如平陽王狀元綱……河中張肅、河朔句龍瀛、東勝程思溫及其從弟思忠。凡此諸人，雖其學業操行參差不齊，要之皆天民之秀，有用於世者也。」見《遺山集》（臺北市：臺灣商務印書館，影印《文淵閣四庫全書》冊1191），卷39，頁1-3。

併覺氛埃不更侵，水天澄碧自相臨。
縱遊人在知魚樂，浪作詩來羡鳥吟。
花障盡緣芳徑合，香雲濃瑣洞房深。
從君落筆驚風雨，要識春風是此心。[29]

周權〈題張子敬墨竹圖〉：

翠琳瑯兮楚楚，風蕭蕭兮在戶。
運滴水於毫端兮，散淇澳之煙雨。[30]

方回（1227-1307）〈送張子敬湖南宣慰司都事併序〉：

昔歲在戊午，予生三十二周星矣。年壯氣盛，視萬里路如畦步。……嘗至丞相張魏公府，與潭府不殊，西廊下面東屋三楹，扁曰「南軒宣公先生讀書之所」也。……湖南宣慰使司都事張君子敬將之官，煩問訊此軒，幸因便風垂報，以慰高山仰止之思云。[31]

袁桷（1266-1327）〈張子敬字說〉：

乾坤之用，近取於人者，必始於敬……子敬居河西，沈厚黙靖，

29 （元）耶律鑄：《雙溪醉隱集》（臺北市：臺灣商務印書館，影印《文淵閣四庫全書》冊1199）卷4，頁19下-20上。

30 （元）周權：《此山詩集》（臺北市：臺灣商務印書館，影印《文淵閣四庫全書》冊1204）卷5，頁12上。

31 （元）方回《桐江續集》（臺北市：臺灣商務印書館，影印《文淵閣四庫全書》冊1193），卷23，頁6-8。

莫敢自暇，內外交養、在已治人，悉本於是，尚勉之哉！[32]

根據上引諸人詩文，可知其與金元各文人皆相友好，除平日交遊外，亦以書畫、詩作相往來。張子敬過世後，王惲撰有〈張子敬提刑挽章〉詩一首悼念：

攬轡南來擬拜君，逢人忍以訃音聞。
救焚有志遺深愛，博物何心泥欵文。
卿月儘輝丞相府，史評當策竹書勳。
不須更聽西風笛，愁滿西山日暮雲。[33]

張子敬為官歷任行省郎中、松江府提控案牘、東平路宣撫副使[34]、湖南宣慰司都事，另著有《續香譜》[35]。張伯淳（1242-1302）〈送張子敬湖南宣慰使都事序〉論及子敬生平最詳，今徵引全文如下：

至元庚辰歲，太原劉公伯宣同知浙西宣慰司事，于人物少所許可，而東平張君子敬獨以公事見知，由松江提控案牘擢本司掾，時余已知子敬為篤實通敏之彥。歲在辛卯，權奸伏誅，江浙行省窮治奸黨，置勘如法奉行文書者必遴其選，僉省事郭公伯川辟子敬為屬，尋掾行省，秩滿，授湖南宣慰司都事，才選

32 （元）袁桷《清容居士集》（臺北市，臺灣商務印書館，《四部叢刊初編》影印元刊本），卷44。

33 參見註27。

34 《元史・元世祖本紀》：「乙未，立十路宣撫司：以賽典赤、李德輝為燕京路宣撫使，徐世隆副之……姚樞為東平路宣撫使，張肅副之。」

35 參見（清）瞿鏞：《鐵琴銅劍樓藏書目録》（上海市：上海古籍出版社，《續修四庫全書》影印清光緒常熟瞿氏家塾刻本），卷16，頁2下-3上，〈新纂香譜二卷〉。

也。人生穹壤間患無才耳，不患人之不已知也，知之而舉而獲用于時，又顧所知者何如人。嗚呼！所托有正邪，終身賢佞通塞之所由繫，自立之難甚矣！子敬遇知劉、郭二公，故得以職業進，昌黎所謂知其主可以信其客者，湖南子敬蓋不必湖南而已，可信若余者，又豈得因其主而信之耶？抑湖南去天萬里，世之論者，往往謂天遠則民情無從上達，而皇澤或壅有是哉？今子敬往佐而長，必能就其于民便者、去其于民戾者，東南一分之寬其庶乎外，此皆餘事耳。行有日，余因所知輙為敘其出處，錢塘多名大夫士，知子敬者不少，尚相率賦之。元貞二年九月日詞臣張伯淳書于錢塘寓舍。[36]

此書卷數不詳，各家書目所載書名也相當混亂，《秘閣書目》、《菉竹堂書目》作《字原韵畧》；《內閣書目》、《千頃堂書目》作《經史字源》，皆各有省略，而《大典》所引最為完備，今從之定名為《經史字源韻略》。《內閣藏書目錄》云：「以四聲分卷，入聲闕數帙。」今自《大典》中輯得佚文11條皆為平上去三聲，無入聲，與《內閣藏書目錄》所記相符。此書要點有三：

(一) 以反切釋音

取、倉苟切

寺、侍吏切

鸃、又仕懺切，䴈也

36 （元）張伯淳：《養蒙文集》（臺北市：臺灣商務印書館，影印《文淵閣四庫全書》冊1194）卷2，頁14上-15上。

(二) 釋義援引經傳典籍

繫、縛繫，《易》「繫於金柅」

寺、侍吏切。《周禮》有「寺人」，《詩》「寺人之令」，內小臣也

郰、《春秋》「取郰」，國名

憙、《穀梁》「陳侯憙獵」，好也

(三) 釋義援引《說文》

揣、《說文》「量也」，試也、度也

箠、又主縈切，《說文》「擊馬策也」

第四節　《正字韻綱》

一　提要

《正字韻綱》四卷　永樂大典本

元魏柔克撰。柔克字溫甫，元初人，大德十年任監察御史，授承務郎，至大四年任廣東廉訪僉事。《內閣藏書目錄》云：「凡字之譌謬者，皆以小篆古體正之，分韻與沈約同。」原書已不存，今自《永樂大典》輯得佚文三十二條，釐為四卷。

二　著錄

《正字韻綱》屢見於明清以後之公私目錄：

《文淵閣書目・昃字號第一廚書目・韻書》：

《正字韻綱》一部五冊完全。

《秘閣書目・韵書》:

《正宗韵綱》五。

《菉竹堂書目・韻書》:

《正字韻綱》五冊。

《國史經籍志・經類小學・書》:

《正字韻綱》四卷，宋魏溫甫。

《內閣書目・字學部》:

《正字訓綱》五冊全。元廣東僉憲魏温甫著，凡字之譌謬者，皆以小篆古體正之，分韻與沈約同。

《千頃堂書目・小學類補》:

魏溫甫《正字韻綱》四卷。官廣東僉憲，凡字之譌謬者，以小篆古體正之。

《補遼金元藝文志・經部・小學》:

魏溫甫《正字韻綱》四卷。

《元史藝文志．經．小學類》：

魏溫甫《正字韻綱》四卷。廣東廉訪僉事。

《小學考．聲韻六》：

魏氏溫甫《正字韻綱》。《千頃堂書目》五卷，存，黃虞稷曰：「溫甫官廣東僉事，凡字之謬者，以小篆古體正之。」

《中國文字學書目考錄．元明時期》：

《正字韵綱》四卷（亡），魏溫甫撰。錢大昕《補元史藝文志》注：「廣東廉訪僉事」書取世間傳寫訛謬之字，以小篆、古體正之。[37]

三　佚文

本節據《永樂大典》輯得《正字韻綱》佚文32條，據《國史經籍志》、《千頃堂書目》所載，釐為四卷（平聲11條、上聲6條、去聲13條、入聲2條）。

37 同註24，頁132。

卷一　平聲

烏、又烏故切，歎傷也　卷2345

於、又衣虛切，居也，住也。又代也　卷2347

錍、篇迷切　卷2806

破、普靡切，折也　卷2807[38]

焞、又殊倫切，作焞俗　卷3586

鍪、鞪，《復古編》云：別作鍪非　卷5268

鶬、又千羊切，義同　卷7518

興、又比興字　卷7960

精、又此靜切，目不悅貌　卷8526

嗛、又琰韻苦簟切，義同　卷9762

崡、作崡俗　卷9762

卷二　上聲

只、又職日切　卷10112

底、又掌氏切，義同。又蒸夷切，磨石　卷10112

藪、又爽主切，戴器也　卷12148

籔、䉤又爽主切，又窶籔，四足几也　卷12148

趣、又逡遇切，疾也。趨玉切，迫也　卷12148

走、則候切，義同　卷12148

卷三　去聲

控、又枯江切，打也。又克講切，義同　卷13084[39]

38 《集韻・上紙》：「破、普靡切，折也」。

39 此條《大典》書名誤作「正字韻岡」。

佄、[illegible]作佄，俗　卷13084

種、又主勇切，類也，作種非　卷13194

蒔、蒔，別作秲畤莳，並非　卷13340

制、又陟列切，義同　卷13496

賁、又逋昆切，勇而疾走曰虎賁。又地名，符分切，大也　卷13872

䔇、又於既切，義同　卷13992

侐、又忽棫切。又寂也　卷13992

薙、又丈几切，義同　卷14125

介、又訖黠切，特也　卷15075

錞、真韻殊倫切，金器，錞于也。賄韻徒罪切　卷15143[40]

剤、吐外切　卷15143

鞔、吐外切　卷15143

卷四　入聲

鶩、或作鶩　卷19636[41]

伏、鳥抱子也　卷19783[42]

四　考證

魏柔克字溫甫[43]，宋末元初人，元成宗大德十年（1306）任監察

---

40 《周禮·地官·鼓人》:「以金錞和鼓」,〈注〉:「錞、錞于也。圜如碓頭，大上小下，樂作鳴之，與鼓相和」。

41 《集韻·去遇》:「鶩鶩、鶩，鶩雛也。或作鶩」。

42 《廣韻·去宥》:「伏、鳥抱子，又音服。」

43 各家書目作者名皆作溫甫，依《永樂大典》引書作者皆為全名之通例，溫甫當為魏氏之字號。

御史[44]，授承務郎；元武宗至大四年（1311）任廣東廉訪僉事[45]。

《正字韻綱》[46]四卷，《文淵閣書目》已著錄，《內閣書目》云「五冊全」，是知明萬曆時原帙尚存。其書依四聲分卷，凡字有譌謬者，皆以小篆古體正之，筆者自《永樂大典》中輯得佚文32條，可略得其書大要：

（一）立反切

殔、普靡切，折也

錞、真韻殊倫切，金器，錞于也

�、吐外切

（二）辨異體

⿰亻曲、[illegible]作⿰亻曲俗

蒔、蒔，別作秲時蒔並非

鶩、或作鶖

44 （元）張鉉：《金陵新志》（臺北市：成文出版社，《中國方志叢書》影印元至正四年刊本），卷6下〈官守志二・行御史臺・監察御史〉：「魏柔克、承務，大德十年上」，參見書影五。

45 （明）郭棐纂修：《廣東通志》（臺南市：莊嚴出版社，《四庫全書存目叢書》影印明萬曆三十年刻本），卷10〈秩官〉：「元廣東道肅政廉訪司廉訪僉事、魏柔克四年任」。

46 《秘閣書目》著錄書名誤作《正宗韻綱》，《內閣書目》則誤作《正字訓綱》，皆當據《永樂大典》及其他書目改正。

第五節　《韻會定正》《韻會定正字切》

一　提要

《韻會定正》四卷坿《韻會定正字切》　永樂大典本

明孫吾與撰。予初字吾與，後以字行，豐城人，元統元年進士。少博覽群書，中山王入燕選送京，上問所引〈鹿鳴〉詩義，稱旨，授太常博士。靖寧侯葉昇征四川、雲南，吾與參其軍，歸卒。另著有《直說孝經》、《通鑒綱目音釋》。是書《明史・藝文志》已著錄，《洪武正韻》既行，太祖以其字義音切未能盡當，命重加校正。學士劉三吾言前太常博士孫吾與本黃公紹《古今韻會》編定，凡字切必祖三十六母音韻歸一圖，以其書進，帝覽而善之，賜名曰《韻會訂正》。據《讀書敏求記》：「平聲不分上下，別作一公、二居、三觚、四江等二十五韻；上聲別作一礦、二矩、三古、四港等二十五韻；去聲別作一貢、二據、三固、四絳等二十五韻；入聲別作一穀、二覺、三葛、四戛等十三韻。」可知平聲不分卷，四聲合計八十八韻。原書已不存，今自《永樂大典》並明清小學書輯得佚文九十餘條，勒為四卷。

《韻會定正字切》四卷。是書反切與《定正》同，又以雙聲助紐字釋音，蓋為輔助《定正》而作。原書不存，《文淵閣書目》已云「闕」，今自《永樂大典》輯得佚文三百二十四條。

二　著錄

《韻會定正》於《明史・藝文志》已著錄：

孫吾與《韻會訂正》四卷。

除了正史之外，《韻會定正》、《韻會定正字切》於明清公私藏書目錄每有論及，條列如下：

《文淵閣書目·昃字號第一廚書目·韻書》：

《韻會定正》一部二冊闕。

《韻會定正》一部二冊完全。

《韻會定正》一部二冊完全。

《韻會定正字切》一部一冊闕。

《秘閣書目·韵書》：

《韵會定正》二。

《定正字切》一。

《添正補改韵書》八。

《菉竹堂書目·韻書》：

《韻會定正》二冊。

《韻會定正字切》一冊。

《晁氏寶文堂書目·下·韻書》：

《韻會正定》。[47]

---

47 （明）晁瑮：《晁氏寶文堂書目》（北京市：書目文獻出版社，《明代書目題跋叢刊》影印明藍格鈔本）。

《國史經籍志・經類小學・書》：

《韻會定正》四卷，元孫吾與。

《內閣藏書目錄・字學部》：

《韻會定正》二冊，全。宋豐城孫吾與著。據黃公紹《古今韻會》成說編次，其分韻與《韻會》稍異，凡四卷。又二冊全。

《近古堂書目・小學類》：

《韻會定正》孫吾與。[48]

《千頃堂書目・小學類》：

孫吾與《韻會訂正》四卷。《洪武正韻》既行，太祖以其字義音切未能盡當，命翰林院重加校正。學士劉三吾言前太常博士孫吾與編定，本宋儒黃公紹《古今韻會》，凡字切必祖三十六母音韻歸一圖，以其書進，帝覽而善之，賜名曰《韻會訂正》。洪武二十三年十月刊成，頒行之。吾與字子初，豐城人，前元翰林待制，歸明授太常博士，隨靖寧侯葉昇征南歸卒。

《絳雲樓書目・小學類》：

48 （明）《近古堂書目》（北京市：書目文獻出版社，《明代書目題跋叢刊》影印羅振玉輯玉簡齋叢書本）。

孫吾與《韻會定正》一冊。

《讀書敏求記・字學》：

孫吾與《韻會定正》四卷。國初閣本影鈔，豐城孫吾與撰。平聲不分上下，別作一公、二居、三觚、四江等二十五韻；上聲別作一礦、二矩、三古、四港等二十五韻；去聲別作一貢、二據、三固、四絳等二十五韻；入聲別作一穀、二覺、三葛、四戛等十三韻。反切不用沈約韻母，時露西江土音，予未之敢以為允也。吾與字子初，國初為太常博士，今《題名錄》以字行，并為正之。[49]

《小學考・聲韻五》：

孫氏吾與《韻會定正》。《千頃堂書目》四卷。存。

三　佚文

《韻會定正》

本節據《永樂大典》輯得《韻會定正》佚文78條，又據《疑耀》[50]、《洪武正韻牋》[51]、《正字通》[52]、《字彙補》[53]、《康熙字典》[54]

---

49 （清）錢曾：《讀書敏求記》（臺南市：莊嚴出版社，《四庫全書存目叢書》影印清雍正四年趙孟升松雪齋刻本），卷1，頁31下-32上。

50 （明）張萱：《疑耀》（臺北市：臺灣商務印書館，影印《文淵閣四庫全書》冊856）。

51 （明）宋濂撰、楊時偉補牋：《洪武正韻牋》（臺南市：莊嚴出版社，《四庫全書存目叢書》影印明崇禎四年刻本）。

等字書與雜著筆記中輯得數條。今據《國史經籍志》、《讀書敏求記》所載，釐為四卷（平聲44條、上聲19條、去聲21條、入聲15條、附錄5條）。

卷一　平聲

平聲共收錄佚文44條（《大典》31條、《疑耀》1條、《洪武正韻牋》10條、《字彙補》1條、《康熙字典》1條）。

桐、白桐即始華之桐，即櫬桐、榮桐，可作琴瑟、棺槨與用為藥者　《洪武正韻牋・一東》

橦、花可為布者　《洪武正韻牋・一東》

�、郱亭，地名　《洪武正韻牋・一東》

匑、恭謹之貌　《洪武正韻牋・一東・逸字》[55]

終、君子死曰終，謂循理終身，能終其事也。古作[illegible]　卷489

廱、影弓切。辟廱、天子講學行禮之地，以水環丘如璧，以節觀者故名　卷662[56]

屍、審基切。人死在牀之稱　卷913

茲、今年一曰今茲，以草木茲生紀也　《洪武正韻牋・二支》[57]

瀘、來模切　卷2217

52 （明）張自烈：《正字通》（合肥市：安徽教育出版社，《中華漢語工具書書庫》影印清康熙清畏堂刊本）。

53 （清）吳任臣：《字彙補》（上海市：上海古籍出版社，《續修四庫全書》影印清康熙五年彙賢齋刻本）。

54 （清）張玉書等編、王引之校訂：《康熙字典》（上海市：上海古籍出版社，1996年1月）。

55 《廣韻・平東》：「匑、謹敬之皃」。

56 又《洪武正韻牋・一東》：「《定正》云『廱、水環如璧，以節觀者』」。

57 又《正字通・玄部》：「茲、孫吾與《韻會定正》云『今年亦曰今茲，以艸木茲生紀也』」。

瓠、匣模切。康瓠，空匏也，可浮渡　卷2259

湖、匣模切。今地理稱湖廣、湖北、湖南者，皆指洞庭湖言，而宮亭、彭蠡、彭澤，則皆鄱陽湖之別名　卷2260

箶、以蔑束物　《洪武正韻牋・五模・逸字》

烏、影模切。三足烏，俗以名日中闇虛　卷2345

惡、影模切　卷2347

洿、影模切。又挼莎以去衣之汙曰汙，與洿同，又作污　卷2347

嗚、影模切。嗚呼，嘆聲，亦作嗚嘑、於戲、於虖、於乎、烏虖、烏呼、惡虖。又嗚嗚，歌呼聲也，亦作烏烏　卷2347

酥、心模切。酥油也，馲駝牛羊乳為之　卷2405

𡖊、《通韻》古文巫字　《康熙字典・又部》

盔、盂之大者　《洪武正韻牋・七灰・逸字》

坏、魯顏闔聞使至，鑿坏而遁，即坐坏墻也　卷2807

伾、滂圭切。馬以車有力也　卷2807

秠、滂圭切。卽人以之為卽者　卷2807

枚、明傀切。枚卜、枚筮，謂一箇兩箇，卜之筮之也。又銜枚，銜之於口以止語也　卷2807

跟、腳跟也，又跟頭戲，倒頭為跟也，或作䟰　《疑耀・觔斗》[58]

年、載以始一歲而終，歲以星一歲而周，祀以祭一歲而徧，年以禾一歲而熟，四者名異而實同也　《洪武正韻牋・十一先》

枖、影驍切。通作夭　卷5268

夭、影驍切。注其色愉也　卷5268

---

58 《疑耀》:「觔斗、今人以頭豎於地，以腳翻上為觔斗戲，諸書皆作觔斗，惟孫吾與《韻會定正》於十五堅末收跟字，注『腳跟也，又跟頭戲，倒頭為跟也，或作䟰。』則觔斗字當從孫吾與為跟頭，謂以頭為跟也，今作觔斗兩字皆誤」卷2，頁30上。

褄、影驍切。裳褄也　卷5268

訞、影驍切。謌謠之怪　卷5268

礳、與摩同，見《洪武通韻》　《字彙補・石部・補字》

吾、允吾，縣名，一在隴州，一屬新州。允音鉛，吾音衙　《洪武正韻牋・十五麻・古音》

蒼、清岡切。天青色也　卷7518

更、更老互文，三五言參伍而選出之，非泛然之老更也。《列子》「宿于田更」，蔡邕、張湛以更為叟，誤也　《洪武正韻牋・十八庚》

形、匣經切。形質，又著見也　卷7756

侀、匣經切。刑以見於形也，故曰侀者成也　卷7757

烝、知經切。盛也　卷8021

脀、知經切。牲實鼎之名　卷8021

帪、知經切。射的也，通作正，《中庸》正、鵠皆小鳥，捷黠難中，故名正。畫於布侯，五正五行，相剋次也。鵠音穀，棲於皮侯　卷8021

精、精經切。米極細也，擇極辨也　卷8526

僧、心搄切。釋氏徒　卷8706

油、喻鳩切。又油然，盛貌　卷8841

楡、喻鳩切。懶楡木　卷8841

喦、疑緘切。又險也　卷9763

巖、疑緘切。亦曰殿，巖或省作嚴，又疑兼切　卷9763

卷二　上聲

上聲共收錄佚文19條（《大典》18條、《洪武正韻牋》1條）。

攏、直斂起也　《洪武正韻牋・一董》

只、知已切。又但也　卷10112[59]

砥、知已切。柔石可利刃鋒者　卷10112

坻、知已切。著止也，或作汦，亦作汶渚　卷10112

軹、知已切。縣名，在長安東十二里，即子嬰降處。又車轂末大馭祭處，古作軒縣，又作枳縣　卷10112

譎、來古切　卷10877

蕾、來軌切。華始苓也　卷11076[60]

傀、溪磈切。傀儡子，木偶人戲，從葬俑類。本作魁　卷11076

蘬、窺軌切。紅龍之大者　卷11076

靃、心軌切。又靃靃，細貌　卷11077

巂、心軌切。水名　卷11077

頍、溪已切。首弁舉貌　卷11077

藻、精杲切。今屋藻并名藻井者，藻取其清潔有文且以厭火燭故畫之，井則言其形似也　卷11602

廣、見廣切。橫闊也，又古百粵地，秦立南海郡，至隋置廣州　卷11903

頂、端景切。頭頂也，或作頲，古作頂，籒作顯，見十七景韻　卷11951

鼎、端景切。烹飪器也，禹鑄九鼎，象神姦形其上，使人不逢不若。三鼎：豕、魚、麋　卷11956

瞍、心耇切。本作傁　卷12148

藪、或作棷，亦作蓃　卷12148

走、精耇切。駿奔也，又謙稱謂馳走之人，見馬遷傳　卷12148

59 又《洪武正韻牋・二紙》：「只、孫氏曰『俗讀質者誤，但當讀作止也』」。

60 《集韻・上賄》：「蕾、蓓蕾始華也」。

卷三　去聲

去聲共收錄佚文21條（《大典》17條、《洪武正韻牋》4條）。

洚、曉貢切。洚洞、水無涯也　卷13084

横、弘供切。逆理也　卷13084

種、知貢切。播種也　卷13194

致、知計切。推致也　卷13495

咥、笑貌　卷13992

嚏、端計切。嚏噴、風壅之發也　卷14124

螮、端計切。注見蝀字　卷14124

棉、透計切。分髮掠髮篦也　卷14125

隸、隸字即今真字、楷字也，《唐六典》校書郎所掌字體五曰隸書，典籍表奏、公私文疏所用是也　《洪武正韻牋・三霽》

絮、徹踞切。就豆羹中再加調和也　卷14544

輔、奉固切。車輻斜縛杖，又扶助也　卷14912

介、見介切。分辨也　卷15075

价、見介切。价人、大人也　卷15075

兑、定儈切。卦名，一陰居二陽之上，故卦德為說　卷15140

駾、又透儈切　卷15143

鐓、矛戟柄尾也　卷15143[61]

萬、物曰萬物，民曰萬民，舞曰萬舞者，言民物共樂其成功也　《洪武正韻牋・去十諫》

鈔、官收物而給印信文憑也，即今鈔關　《洪武正韻牋・去十三

61　《禮記・曲禮上》：「進矛戟者前其鐓。」孔疏：「鐓爲矛戟柄尾，平底如鐓，柄下也。以平嚮人，敬也」。

校》[62]

浩、《前地理志》「浩亹」，當讀作告門　《洪武正韻牋・去十三校》

鑱、牀監切。出菜根器　卷19426

釤、審監切。釤之也　卷19426

卷四　入聲

入聲共收錄佚文15條（《大典》12條、《洪武正韻牋》1條、《康熙字典》2條）。

睩、來各切。目睞也　卷19743

角、來谷切。漢角里先生，四皓之一也　卷19743

逯、來[illegible]切。又趨逯、烏孫質子名　卷19743[63]

伏、奉谷切。秋以金承夏之火，土徵金畏老火，故秦於其間三庚日立三伏日　卷19783

服、奉谷切。服牛馬於車轅也。又五服：三年、期、九月、五月、三月，以布麤細為序也　卷19785

乙、影吉切。陰木干也　卷20309

鳦、影吉切。注見燕字　卷20309

職、照亟切。執掌事業也　卷20478

檄、匣亟切。喻告之書　卷20850

率、《通韻》表的也　《康熙字典・玄部》21126

62 又《正字通・金部》:「鈔、孫吾與《韻會定正》曰『官收物而給印信文憑也，即今鈔關』。」,《康熙字典・金部》:「鈔、《韻會定正》『官收物而給印信文憑也，即今鈔關』」。

63 據大典前後文引《字切》「睩、來谷來零連睩」、「䴪、來谷來零連䴪」觀之，逯字當為來谷切。

不、《沈韻》打字音作等，不字音作弗，天下無一人从之　《洪武正韻牋・入二質》

驥、驜《洪武通韻》與驥同　《康熙字典・馬部》

陌、明格切。注見阡字　卷22180

貊、明格切。北裔種　卷22180[64]

莫、明格切。清靜也，《詩》「莫其德音」，謂清靜其德音，使無非間之言　卷22180[65]

附錄

慅、孫吾與《韻會定正》考、老附有韻，是也　《正字通・心部》

榮、《正韻牋》引《丹鉛錄》榮音與融同，後人入庚韻，誤。又云：螢榮之類《韻會定正》專入東，宋濂專屬庚，《韻會》兩讀存古从今並通　《正字通・木部》

汗、又霰韻音莧，蘇轍〈夏夜詩〉「老人氣如縷，枕簟亦流汗。褰帷竟不寐，夜氣淨如練」古霰、翰二韻通，《韻會定正》翰與厺聲《傳》《選》通，練在霰韻、汗在翰韻，本自相叶，舊註不詳古韻，沿吳棫《韻補》汗改音莧，非　《正字通・水部》

湅、《正韻牋》曰：宋文憲引《說文》「湅水出發鳩山，入河」。《韻會》及孫吾與《韻會定正》竝同　《正字通・水部》

盲、孫吾與《韻會定正》盲入蒙韻　《正字通・目部》

---

64 《字彙・豸部》：「貊、莫白切，音麥，北方之國也，又安靜也、定也」。

65 《禮記・樂記》：「子夏對曰：『……《詩》云：莫其德音，其德克明。克明克類，克長克君，王此大邦；克順克俾，俾於文王，其德靡悔。既受帝祉，施於孫子』」。

《韻會定正字切》

本節據《永樂大典》輯得《韻會定正字切》佚文324條，據所輯《韻會定正》，同釐為四卷（平聲147條、上聲54條、去聲91條、入聲32條）。

卷一　平聲

終、知公知真氈終　卷489
螽、知公知真氈螽　卷490
衆、知公知真氈衆　卷490
蝩、知公知真氈蝩　卷490
溶、喻雄喻寅延溶　卷540
蓉、喻雄喻寅延蓉　卷540
庸、喻雄喻寅延庸　卷541
雝、影弓影因煙雝　卷661
灉、影弓影因煙灉　卷661
廱、影弓影因煙廱　卷662
饔、影弓影因烟饔　卷662
壅、影弓影因烟壅　卷662
癰、影弓影因煙癰　卷662
郝、審基審聲羶郝　卷909
尸、審基審聲羶尸　卷910
屍、審基審聲羶屍　卷913
瀘、來模來零連瀘　卷2217
壺、匣模匣形賢壺　卷2254
瓠、匣模匣形賢瓠　卷2259

瑚、匣模匣形賢瑚　卷2259
餬、匣模匣形賢餬　卷2259
醐、匣模匣形賢醐　卷2259
弧、匣模匣形賢弧　卷2259
箶、匣模匣形賢箶　卷2259
湖、匣模匣形賢湖　卷2260
梧、疑觚疑迎妍梧　卷2337
郚、疑觚疑迎妍郚　卷2344
鼯、疑觚疑迎妍鼯　卷2344
浯、疑觚疑迎妍浯　卷2344
麤、清模清清千麤　卷2344
烏、影模影因煙烏　卷2345
惡、影模影因煙惡　卷2347
洿、影模影因煙洿　卷2347
杇、影模影因煙杇　卷2347
於、影模影因烟於　卷2347
嗚、影模影因煙嗚　卷2347
穌、心模心新鮮穌　卷2405
蘇、心模心新鮮蘇　卷2405
酥、心模心新鮮酥　卷2405
初、徹觚徹稱燀初　卷2406
芻、徹觚徹稱燀芻　卷2406
蔬、審模審聲羶蔬　卷2407
梳、審模審聲羶梳　卷2407
疏、審模審聲羶疏　卷2408
綀、審模審聲羶綀　卷2408

蘇、審模審聲殭蘇　卷2408

疋、審模審聲殭疋　卷2408[66]

羆、幫圭幫賓邊羆　卷2755

蘢、幫圭幫賓邊蘢　卷2755

卑、幫圭幫賓邊卑　卷2806

裨、幫圭幫賓邊裨　卷2806

鞞、幫圭幫賓邊鞞　卷2806

椑、幫圭幫賓邊椑　卷2806

箄、幫圭幫賓邊箄　卷2806

丕、滂圭滂娉偏丕　卷2807[67]

肧、滂傀滂娉偏肧　卷2807

衃、滂傀滂聘偏衃　卷2807[68]

坏、滂傀滂娉偏坏　卷2807

醅、滂傀滂娉偏醅　卷2807

伾、滂圭滂娉偏伾　卷2807

秠、滂圭滂娉偏秠　卷2807

駓、滂圭滂娉偏駓　卷2807

豾、滂圭滂娉偏豾　卷2807

鉟、滂圭滂娉偏鉟　卷2807[69]

怌、滂圭滂娉偏怌　卷2807

狉、滂圭滂娉偏狉　卷2807

---

66 此條索引失收。

67 此條《索引》誤植為《韻會定正》。

68 《大典》於衃字前後所引《字切》十九字皆作「滂⋯⋯滂娉偏⋯⋯」，此條「聘」當作「娉」，形近而誤。

69 此條《索引》誤為「鉟」。

邳、滂圭滂娉偏邳 卷2807
伾、滂圭滂娉偏伾 卷2807
披、滂圭滂娉偏披 卷2807
被、滂圭滂娉偏被 卷2807
翍、滂圭滂娉偏翍 卷2807
殔、滂圭滂娉偏殔 卷2807
旇、滂圭滂娉偏旇 卷2807
秛、滂圭滂娉偏秛 卷2807
枚、明傀明民眠枚 卷2807
梅、明傀明民眠梅 卷2808
村、清昆清清千村 卷3579
尊、精昆精精箋尊 卷3582
鷷、精昆精精箋鷷 卷3585
遵、精遵精精箋遵 卷3586
僎、精遵精精箋僎 卷3586
暾、透昆透汀天暾 卷3586
哼、透昆透汀天哼 卷3586
焞、透昆透汀天焞 卷3586
蘋、透昆透汀天蘋 卷3586
吞、透昆透汀天吞 卷3586
涒、透昆透汀天涒 卷3586
屯、定昆定亭田屯 卷3586
純、定昆定亭田純 卷3587
忳、定昆定亭田忳 卷3587
軘、定昆定亭田軘 卷3587
庉、定昆定亭田庉 卷3587

煙、影堅影因烟煙　卷4908
燕、影堅影因煙燕　卷4908
遼、來驍來零連遼　卷5244
祅、影驍影因煙祅　卷5268
枖、影驍影因煙枖　卷5268
夭、影驍影因煙夭　卷5268
褄、影驍影因煙褄　卷5268
訞、影驍影因烟訞　卷5268
橇、溪驍溪輕牽橇　卷5268
趫、溪驍溪輕牽趫　卷5268
蹻、溪驍溪輕牽蹻　卷5268
驕、溪驍溪輕牽驕　卷5268
鍫、清驍清清千鍫　卷5268
幓、清驍清清千幓　卷5268
妝、知光知真邅妝　卷6523
裝、知光知真邅裝　卷6523
樁、知光知真邅樁　卷6524
倉、清岡清清千倉　卷7506
蒼、清岡清清千蒼　卷7518
滄、清岡清清千滄　卷7518
鶬、清岡清清千鶬　卷7518
形、匣經匣形賢形　卷7756
侀、匣經匣形賢侀　卷7757
汀、透經透汀天汀　卷7889
鞓、透經透汀天鞓　卷7895
朾、透經透汀天朾　卷7895

馨、曉經曉興掀馨　卷7960
興、曉經曉興掀興　卷7960
烝、知經知真氊烝　卷8021
脀、知經知真氊脀　卷8021
怔、知經知真氊怔　卷8021
成、澄經澄澄纏成　卷8022
兵、幫經幫賓邊兵　卷8275
精、精經精精箋精　卷8526
僧、心拯心新鮮僧　卷8706
油、喻鳩喻寅延油　卷8841
蝤、喻鳩喻寅延蝤　卷8841
抌、喻鳩喻寅延抌　卷8841
蕕、喻鳩喻寅延蕕　卷8841
楡、喻鳩喻寅延楡　卷8841
鮋、喻鳩喻寅延鮋　卷8841
斿、喻鳩喻寅延斿　卷8841
游、喻鳩喻寅延游　卷8842
遊、喻鳩喻寅延遊　卷8844
諴、匣緘匣形賢諴　卷9762
鹹、匣緘匣形賢鹹　卷9762
函、匣緘匣形賢函　卷9762
涵、匣甘匣形賢涵　卷9762
錎、匣甘匣形賢錎　卷9762
銜、匣緘匣形賢銜　卷9762
嗛、匣緘匣形賢嗛　卷9762
崡、匣緘匣形賢崡　卷9762

喦、疑緘疑迎妍喦　卷9763
嵒、疑緘疑迎妍嵒　卷9763
巖、疑緘疑迎妍巖　卷9763

卷二　上聲

只、知已知眞氈只　卷10112
咫、知已知眞氈咫　卷10112
抵、知几知眞氈抵　卷10112[70]
抵、知已知眞氈抵　卷10112
砥、知已知眞氈砥　卷10112
厎、知已知眞氈厎　卷10112
坻、知已知眞氈坻　卷10112
枳、知已知眞氈枳　卷10112
軹、知已知眞氈軹　卷10112
疻、知已知眞氈疻　卷10112
死、斯已斯新鮮死　卷10309
虜、來古來零連虜　卷10876
鹵、來古來零連鹵　卷10877
櫓、來古來零連櫓　卷10877
艣、來古來零連艣　卷10877
滷、來古來零連滷　卷10877
蕾、來軌來零連蕾　卷11076
磈、溪磈溪輕牽磈　卷11076
傀、溪磈溪輕牽傀　卷11076

70 《大典》於抵字前後所引《字切》九字皆作「知己知眞氈……」，此條「几」當作「己」，音近而誤。

巋、窺軌窺輕牽巋 卷11076
蘬、窺軌窺輕牽蘬 卷11076
頯、溪磈溪輕牽頯 卷11076
餧、泥磈泥寧年餧 卷11076
腇、泥磈泥寧年腇 卷11076
捶、知軌知眞氈捶 卷11076
箠、知軌知眞氈箠 卷11076
錘、知軌知眞氈錘 卷11076
縈、日軌日人然縈 卷11077
蘂、日軌日人然蘂 卷11077
菙、禪軌禪神禪菙 卷11077
髓、心軌心新鮮髓 卷11077
瀡、心軌心新鮮瀡 卷11077
�革、心軌心新鮮蘳 卷11077
靃、心軌心新鮮靃 卷11077
嶲、心軌心新鮮嶲 卷11077
觜、精軌精精箋觜 卷11077
嶉、精軌精精箋嶉 卷11077
趡、清軌清清千趡 卷11077
跬、窺規窺輕牽跬 卷11077
頍、溪已溪輕牽頍 卷11077
頯、溪已溪輕牽頯 卷11077
痯、見管見經堅痯 卷11313
斡、見管見經堅斡 卷11313
悺、見管見經堅悺 卷11313
藻、精杲精精箋藻 卷11602

老、來杲來零連老　卷11615

廣、見廣見經堅廣　卷11903

頂、端景瑞丁顛頂　卷11951

鼎、端景端丁顛鼎　卷11956

友、影九影因煙友　卷12015

瞍、心耇心新鮮瞍　卷12148

嗾、心耇心新鮮嗾　卷12148

趣、清耇清清千趣　卷12148

走、精耇精精箋走　卷12148

卷三　去聲

動、定貢定亭田動　卷13082

慟、定貢定亭田動　卷13083[71]

挏、定貢定亭田挏　卷13083

弄、來貢來零連弄　卷13083

哢、來貢來零連哢　卷13083

梇、來貢來零連梇　卷13083

鬨、曉貢曉興掀鬨　卷13084

洚、曉貢曉興掀洚　卷13084

横、弘供弘形賢横　卷13084

烘、曉貢曉興掀烘　卷13084

控、溪貢溪輕牽控　卷13084

鞚、溪貢溪輕牽鞚　卷13084

空、溪貢溪輕牽空　卷13084

71 據《大典》引《字切》之文例，此條「動」當作「慟」。

倥、溪貢溪輕牽倥 卷13084
䠼、溪供溪輕牽䠼 卷13084
㑋、溪供溪輕牽㑋 卷13084
中、知貢知眞邅中 卷13194
衷、知貢知眞邅衷 卷13194
種、知貢知眞邅種 卷13194
湩、端景瑞丁顛湩 卷13194
蒔、禪計禪神禪蒔 卷13340
豉、禪計禪神禪豉 卷13341
嗜、禪計禪神禪嗜 卷13341
謚、禪計禪神禪謚 卷13345
緻、澄計澄澄纏緻 卷13495[72]
致、知計知眞邅致 卷13495
置、知計知眞邅置 卷13495
制、知計知眞邅制 卷13496
賁、幫 卷13872[73]
貱、幫計幫賓邊貱 卷13876
痺、幫計幫賓邊痺 卷13877
波、幫計幫賓邊波 卷13880
嬉、曉計曉興掀嬉 卷13992
餼、曉計曉興掀餼 卷13992
氣、曉計曉興掀氣 卷13992
燨、曉計曉興掀燨 卷13992
墍、群計群擎虔墍 卷13992

72 反切疑有誤。

73 《大典》以下全闕。

𩬶、曉計曉興掀𩬶　卷13992
咥、曉計曉興掀咥　卷13992
屭、曉計曉興掀屭　卷13992
豷、曉計曉興掀豷　卷13992
系、匣計匣形賢系　卷13993
繫、匣計匣形賢繫　卷13993
係、匣計匣形賢係　卷13993
禊、匣計匣形賢禊　卷13993
嚔、端計端丁顛嚔　卷14124
疐、端計端丁顛疐　卷14124
締、端計端丁顛締　卷14124
蔕、端計端丁顛蔕　卷14124
螮、端計端丁顛螮　卷14124
替、透計透汀天替　卷14124
髴、透計透汀天髴　卷14125
楴、透計透汀天楴　卷14125
涕、透計透汀天涕　卷14125
禘、透計透汀天禘　卷14125
薙、透計透汀天薙　卷14125
殢、透計透汀天殢　卷14125
屜、透計透汀天屜　卷14125
冀、見計見經堅冀　卷14384
語、疑踞疑迎妍語　卷14464
樹、禪踞禪神禪樹　卷14536
處、徹踞徹稱燀處　卷14544
絮、徹踞徹稱燀絮　卷14544

著、知踞知眞氈著　卷14545
翥、知踞知眞氈翥　卷14545
鋪、滂故滂娉偏鋪　卷14574
誧、滂固滂娉偏誧　卷14576
醐、奉固奉　　醐　卷14912[74]
滏、奉固奉　　滏　卷14912[75]
輔、奉固奉　　輔　卷14912[76]
誡、見介見經堅誡　卷15073
悈、見介見經堅悈　卷15075
介、見介見經堅介　卷15075
价、見介見經堅价　卷15075
隊、定儈定亭田隊　卷15140
兌、定僧切亭田兌　卷15140[77]
駾、定儈定亭田駾　卷15143
霨、定儈定亭田霨　卷15143
薱、定儈定亭田薱　卷15143
憝、定儈定亭田憝　卷15143
鐓、定儈定亭田鐓　卷15143
剢、定儈定亭田剢　卷15143
奪、定儈定亭田奪　卷15143
鞔、定儈定亭田鞔　卷15143

74 《大典》所引闕二字。

75 同前註。

76 同前註。

77 審諸音理及《大典》前後所引《字切》十字皆作「定儈定亭田……」，此條「僧」當作「儈」，形近而誤，「切」亦當作「定」。

鋭、定儈定亭田鋭　卷15143

蘸、照監照眞氈蘸　卷19416

賺、牀監牀澄纏賺　卷19426

湛、狀監狀澄纏湛　卷19426[78]

鑱、牀監牀澄纏鑱　卷19426

詀、牀監牀澄纏詀　卷19426

釤、審監審聲羶釤　卷19426

卷四　入聲

沐、明谷明民眠沐　卷19636

霂、明谷明民眠霂　卷19636

罞、明谷明民眠罞　卷19636

楘、明谷明民眠楘　卷19636

鶩、明谷明民眠鶩　卷19636

蚞、明谷明民眠蚞　卷19636

目、明谷明民眠目　卷19636

睩、來谷來零連睩　卷19743

角、來谷來零連角　卷19743

摝、來谷來零連摝　卷19743

騼、來谷來零連騼　卷19743

逯、來谷來零連逯　卷19743

蹁、群匊群擎虔蹁　卷19782

伏、奉谷奉　　伏　卷19783[79]

78 審諸音理及《大典》前後所引《字切》皆作「牀監牀澄纏……」，此條「狀」當作「牀」，形近而誤。

79 同註74。

虙、奉谷奉　　虙　卷19784[80]
服、奉谷奉　　服　卷19785[81]
竹、知匊知真氊竹　卷19865
乙、影吉影因烟乙　卷20309
鳦、影吉影因烟鳦　卷20309
疾、從吉從秦前疾　卷20310
蓆、邪亟邪餳涎蓆　卷20353
職、照亟照真氊職　卷20478
檄、匣亟匣形賢檄　卷20850
陌、明格明民眠陌　卷22180
佰、明格明民眠佰　卷22180
貊、明格明民眠貊　卷22180
莫、明格明民眠莫　卷22180
駋、明格明民眠駋　卷22180
貘、明格明民眠貘　卷22180
驀、明格明民眠驀　卷22180
百、明格明民眠百　卷22180
麥、明格明民眠麥　卷22181

四　考證

孫予初字吾與，後以字行，明豐城人（今江西省豐城市），元惠宗元統元年（1333）進士。少博覽群書，初仕元為翰林待制，中山王入燕選送京，上問所引〈鹿鳴〉詩義，稱旨，授太常博士，復選充殿

80 同前註。
81 同前註。

試考官。授靖寧侯葉昇章句，昇征四川、雲南，吾與參其軍，歸卒。著有《韻會定正》、《直說孝經》及《通鑒綱目音釋》，生平事蹟見清道光修《豐城縣志・人物・列傳・仕績》[82]。

《韻會定正》一名《韻會訂正》、《洪武通韻》，據《讀書敏求記》所載，可可知四聲共88韻（平聲不分上下25韻、上聲25韻、去聲25韻、入聲13韻）。因《洪武正韻》頒行已久，太祖以其字義、音切尚多未當，命詞臣再校之。學士劉三吾言孫吾與所纂《韻會定正》，音韻歸一，應可流傳，遂以其書進。太祖覽而善之，更名為《洪武通韻》，命刊行焉，可惜其書今已不傳，可自《永樂大典》及明清以後典籍如《洪武正韻牋》、《正字通》、《康熙字典》中輯得部分佚文。

丁治民教授撰文指出，《韻會定正》釋義的特點有六：

1. 不僅解釋某字為某義，而且解釋某字為某義。
2. 解釋某字所指有何作用。
3. 反映新義或常用義。
4. 增加義項。
5. 同一語義不同字形之間的關係。
6. 以通語解釋詞義。[83]

至於聲韻部分，鄧強將《韻會定正》聲類系統的特點歸納為二點：保留全濁聲類，將大量全濁音字歸入了清音，以及知照組聲類合併、禪部分和澄相混、禪部分和船相混的情況與《洪武正韻》相似[84]。丁治

82 （清）徐清選修、毛輝鳳纂：《豐城縣志》（臺北市：成文出版社，《中國方志叢書》影印清道光五年刊本），卷11。

83 參見丁治民、趙金文：〈從《韻會定正》論《洪武正韻》的得失——兼論明太祖「中原雅音」的性質〉，《語言科學》第8卷第6期（2009年11月），頁651-652。

84 鄧強：〈韻會定正聲類考〉，《安慶師範學院學報》社會科學版第28卷第2期（2009年2月），頁46。

民則歸納其韻類與聲調特點有三：

> 1. 止攝開口心、章、船、書、禪、知、澄母字，仍讀舌面原音。……2.《廣韻》庚、耕、清、青、登韻的一二等唇音字、牙喉音合口字與東韻一等字在《韻會定正》中合併；庚三、清、青韻牙喉音合口字與鍾韻、東韻三等字在《韻會定正》中合併。……3. 部分全濁上聲字變為去聲。[85]

相關研究還可參考鄧強、丁治民〈孫吾與及其所著韻書考〉、鄧強〈韻會定正所反映的元末明初江西方音〉以及鄧強、朱福妹〈從韻會定正看元末明初通語韻母的幾項發展〉。[86]

《韻會定正字切》少見於各書目，典籍均未見徵引，惟《永樂大典》引用之數量頗多，書名或省作《字切》。丁治民教授對其書性質有詳細論證，其說曰：

> 《韻會定正字切》和《字切》對單字的注釋只有注音而無釋義，注音的方式是反切（無「切」字），後為四個雙聲字，其中第一是反切上字，二三是作者認為是相同聲母的兩個字，四為被切字……《韻會定正字切》注音是反切的形式，而沒有「切」字，而且注音後有四個雙聲字，這種情形與歷史上的助

85 同註83，頁653-657。

86 鄧強、丁治民：〈孫吾與及其所著韻書考〉，《溫州大學學報》社會科學版第21卷第5期（2008年9月），頁66-70；鄧強：〈韻會定正所反映的元末明初江西方音〉，《寧夏大學學報》人文社會科學版第32卷第2期（2010年3月），頁16-20；鄧強、朱福妹：〈從韻會定正看元末明初通語韻母的幾項發展〉，《語言研究》第31卷第4期（2011年10月），頁68-72。

紐字性質相當。[87]

同時觀察《永樂大典》同引《韻會定正》與《韻會定正字切》的條目，可以歸納出兩書的特色：

（一）《韻會定正》具標準韻書性質，以反切釋音，並有釋義。

（二）《韻會定正字切》為輔助《韻會定正》而作，釋音方式為「反切＋助紐字＋被釋字」，反切同於《韻會定正》。

第六節　《廣韻總》

一　佚文

制、征利切　卷13496

二　考證

《廣韻總》之名諸家書目未見[88]，《大典》引文僅存1條。丁治民論此書云：

按《永樂大典》的引書體例，《廣韻總》列於《字滌博義》之前，而《字滌博義》成書於元末明初。因此，《廣韻總》成書時間應在《字滌博義》之前。存疑待考。[89]

87 同註83，頁650。

88 《文淵閣書目．昃字號第一廚書目．韻書》：「《總韻》一部一冊闕」，《秘閣書目．韵書》：「《總韵》一」。《總韻》、《廣韻總》書名相近，但是否為同一書仍缺乏佐證。

89 同註25，頁82。

第四章
《永樂大典》所引小學書三種考略

史廣超論輯佚的方法，首先必須判斷擬輯佚的文獻是否真佚：

> 我們在開展輯佚工作前，需要通過翻檢目錄學著作、尋訪圖書館館藏等了解古書的存佚殘缺，搞清楚擬輯文獻是否確實散佚了。否則，花費了很多心血和時間，結果輯佚的書並未散佚，徒勞無功。[1]

在研究過程中，筆者發現了三部《永樂大典》所引小學書的流傳情況較為特殊，分別是《正始之音》、《孫氏字說》以及《五十先生韻寶》，值得吾人措意。本章根據各公私藏書目錄、方志及參考前人研究成果，略考三書如後。

第一節　《正始之音》

一　是書於《程氏家塾讀書分年日程》中錄有全帙

今存《大典》徵引《正始之音》11條，引文體例為「王柏《正始音》……」。是書著錄於以下三種書目，《大典》所引書名當有省略：

1　項楚、羅鷺主編：《中國古典文獻學》（北京市：中國人民大學出版社，2011年3月），第6課第2節〈輯佚的方法〉，頁152。

《文淵閣書目・昃字號第一廚書目・韵書》：

《正始之音》一部二冊，闕。[2]

《秘閣書目・韵書》：

《正始之音》二。[3]

《菉竹堂書目・韻書》：

《正始之音》一冊。[4]

《文淵閣書目》雖云「闕」，但據前輩學者程元敏教授之研究，書實未亡。程氏《王柏之生平與學術》第二編〈著述考〉，採集王魯齋相關著述達92種，旁徵博引，闡述精詳。第一章經部論及《正始之音》，其說曰：

《正始之音》七卷，存。是書若有鬼神呵護，幸得完帙！影元刊本元程端禮《程氏家塾讀書分年日程》又稱讀書工程，卷三頁一至四一全錄《正始之音》一書作為「旁證」。是書前有「端平丙申（三年，一二三六）秋仲晦王柏書」序，末有「正

2 （明）楊士奇等編：《文淵閣書目》（北京市：書目文獻出版社，《明代書目題跋叢刊》影印清顧修輯讀畫齋叢書本），卷12。

3 （明）錢溥：《秘閣書目》（臺南市：莊嚴出版社，《四庫全書存目叢書》影印清鈔本）。

4 （明）葉盛：《菉竹堂書目》（臺南市：莊嚴出版社，《四庫全書存目叢書》影印清初鈔本）。

始之音畢」字樣，渾然一體。[5]

魯齋原書雖已不存，但可據他書輯得全帙[6]，誠為書林之幸！

二　內容大要

王柏（1197-1274）字會之，南宋婺州金華人。初號長嘯，年逾三十以為「長嘯非聖門持敬之道」，改號魯齋。從何基學，授以立志居敬之旨，且作〈魯齋箴〉勉以質實堅苦之學，有疑必從基質之。生平著述頗豐，《宋史・儒林列傳》列之甚詳：

> 所著有《讀易記》、《涵古易說》、《大象衍義》……《書疑》、《詩辨說》、《讀春秋記》……《論語通旨》、《孟子通旨》……《文章復古》、《文章續古》、《濂洛文統》……《大爾雅》、《六義字原》、《正始之音》……《朝華集》、《紫陽詩類》、家乘、文集。[7]

程端禮（1271-1345）字敬叔，號畏齋，元慶元府人。幼穎悟純篤，十五歲能記誦六經，曉析大義。從史蒙卿游，以傳朱子明體達用之旨，學者及門甚眾。《元史・儒林列傳》云：

5　程元敏：《王柏之生平與學術》（上海市：華東師範大學出版社，2011年3月），頁253-254。

6　《正始之音》全文也可於《六藝之一錄》中檢得，見（清）倪濤：《六藝之一錄》（臺北市：商務印書館，影印文淵閣四庫全書本），卷247-248。惟倪氏並未註明引文出處，據筆者比對，與《程氏家塾讀書分年日程》引文完全相同，倪氏之書晚出，所錄當出於程書。

7　（元）脫脫等修：《宋史》（北京市：中華書局，1977年11月），卷438。

所著有《讀書工程》，國子監以頒示郡邑校官，為學者式。[8]

《程氏家塾讀書分年日程》全書分為三卷[9]，卷首為〈綱領〉，依次編錄朱子〈白鹿洞書院教條〉、程端蒙董銖〈程董二先生學則〉、真德秀〈西山真先生教子齋規〉等教論，可視為程氏心中理想的教育總綱；卷一、卷二為〈讀書分年進程〉，為學子自八歲前到學文應試，每月每日的讀書與生活作息，量身訂作一套教育程序和教學計劃；卷三則為〈旁證〉，錄有《正始之音》（參見書影六）及六條朱子讀書法，作為教學輔助工具。

程氏於全書中多次提到了王魯齋《正始之音》，可以看出他對此書的重視：

師授本日正書，假令授讀《大學》正文、章句、或問……預令其套端禮所參〈館閣校勘法〉，黃勉齋、何北山、王魯齋、張導江及諸先生點抹《四書》例，及放王魯齋《正始音》點定本，點定句讀，圈發假借字音。[10]

欲考字，看《說文》、《字林》、《六書略》、《切韻指掌圖》、《正始音》、《韻會》等書，以求音義、偏旁、點畫、六書之正。[11]

性理畢，次攷制度，制度書多兼治道，有不可分者，詳見諸經注疏、諸史志書……《說文五音韻譜》、《字林》、《五經文字》、《九經字樣》、戴氏《六書故》、王氏《正始音》……。[12]

---

8 （明）宋濂等修：《元史》（北京市：中華書局，1976年4月），卷190。

9 （元）程端禮：《程氏家塾讀書分年日程》（上海市：商務印書館，《四部叢刊》續編影印常熟瞿氏鐵琴銅劍樓藏元刊本）。

10 同前註，卷1，頁3下-4上。

11 同註9，卷1，頁7上。

12 同註9，卷2，頁6下-7下。

程氏指導學子，在進行日常讀書計畫時，可利用《正始之音》作為經典句讀、考字及識音時的參考書，而為了取用方便，就直接將《正始之音》全文收錄於教學日程之中。

《正始之音》於各書目雖見載錄，但內容歸屬今已不詳。魯齋撰於宋理宗端平三年（1236）的〈自序〉，談到了著作動機與內容：

> 諸經雖多釋音，每病始音之未明，既而求於《說文》，又病從聲之難曉。一日以《說文》翻為楷字，又得李文簡燾《類韻》之編，部敘雖非叔重之舊，然亦頗便於討閱。既而又得夾漈鄭公樵所著《六書略》一篇，喜不釋手，蓋其訂覈精整，六義粲然，一掃千古之陋，而於假借一門、始音之義亦備，故獨取以附於《說文》翻楷之後。又得賈昌朝《羣經音辨》，取其三麗之詳說，徐音、賈辨、鄭略微有異同，互相補發，按古證今，訂譌正誤，以之讀聖賢之書，於音義亦庶幾焉！今合而一之，名曰《正始之音》。[13]

總覽全文，筆者發現內容除了參雜賈昌朝、鄭樵兩氏之作外，尚有序文所未提及處，茲依序條列介紹：

王柏〈正始之音序〉

1.〈字音清濁辨〉、〈彼此異音辨〉、〈字音疑混辨〉三篇，採自賈昌朝《群經音辨》，內容文字全同，惟稍稍改易篇名，賈氏原書篇名為〈辨字音清濁〉、〈辨彼此異音〉、〈辨字音疑混〉[14]。

---

13 同註9，卷3，頁3。

14 （宋）賈昌朝：《群經音辨》（上海市：商務印書館，《四部叢刊》續編影印日本岩崎氏靜嘉文庫藏元刊本），卷6。

2.〈假借序〉、〈同音借義〉、〈借同音不借義〉、〈協音借義〉、〈借協音不借義〉、〈音義借音〉、〈因借而借〉、〈語辭之借〉、〈五音之借〉、〈三詩之借〉、〈十日之借〉、〈十二辰之借〉、〈方言之借〉、〈雙音並義不為假借〉共十四篇，採自鄭樵《通志．六書略四》[15]，篇目與內容文字全同。

3.〈論急慢聲諧〉、〈論高下聲諧〉、〈論諧聲之惑〉、〈論象形之惑〉、〈論子母〉、〈論變更〉、〈論遷革〉共七篇，節錄自《通志．六書略五》[16]，篇目與內容文字全同。

4.〈徐鉉奏俗書譌謬不合六書之體者二十九字〉、〈字音正譌〉、〈部位雜記〉、〈點畫譌舛〉、〈字學〉、〈唐藝文志〉，為王氏個人研治小學筆記。

5.〈論字說〉三顧隱客蕭楚

魯齋此書以大篇幅摘錄了《群經音辨》及《通志．六書略》內容，兩書今日皆有傳本；而個人關於文字音韻之學的論述篇幅甚少。但值得欣喜的是，保存了一篇宋人著作之佚文，今論述如下：

〈論字說〉，宋蕭楚（1064-1130）撰，廬陵人，有《春秋辨疑》存世。《正始之音》所錄〈論字說〉一篇，題為「三顧隱客蕭楚」撰（小注「字子荊，號清節先生」）。首論六書之名義並約舉字例，如「象形」舉日、月、田三字為例；論「會意」則曰「合文以成其義」，並舉「言欲其順故口辛為言」、「止戈為武」、「力田為男」等諸字為例[17]。末有〈今所傳六經之文有異於漢儒所傳之文〉，以《詩》

---

15 （宋）鄭樵：《通志》（北京市：中華書局，影印萬有文庫十通本），卷34。

16 同前註，卷35。

17 蕭氏字學的說法，受到了明代楊慎的注意，《轉注古音略．古音後語》：「王柏《正始之音》亦以考老之訓為非；蕭楚謂一字轉其聲而讀，是為轉注；程端禮謂假借借聲，轉注轉聲，皆合《周禮》注展轉注釋之說，可正考老之謬矣。」《叢書集成新編》影印（明）楊慎《轉注古音略》函海叢書本，可參見李文澤：〈歷代巴蜀學人

「營營青蠅」、《書》「平豑東作」等為例，認為今日經文有借聲用字（假借）及傳錄之誤等情況；而經文多有非漢儒所傳之文，漢儒所傳之文已非孔子之文，「欲字字而解之，可乎？」。

蕭氏《三顧隱客文集》於《宋史・藝文志》已著錄[18]，今亡佚，《正始之音》所引之殘篇，可補文獻之不足。

第二節　《孫氏字說》

一　是書即孫弈《履齋示兒編・字說》

今存《大典》徵引《孫氏字說》29條，引文體例為「《孫氏字說》……」。是書著錄於以下三種書目：

《文淵閣書目》辰字號第一廚書目：

> 《孫氏字說》一部一冊，闕。

《秘閣書目・法帖》：

> 《孫氏字說》。

《菉竹堂書目・法帖》：

> 《孫氏字說》一冊。

的文字學研究——以漢、唐宋、明代巴蜀學人為例〉，《湖湘論壇》2013年第4期（2013年7月），頁59。

18 同註7，卷208。

考諸其他書目，並未有是書之作者、篇卷、流傳等相關記載，頗令人不解。經考察有關文獻，並以《大典》所引文字進行比對後，判斷書目見載及《大典》所引之《孫氏字說》，應當為割裂他書一部分，並另改題新名而成，其內容即為南宋孫弈撰《履齋示兒編》卷十八至二三的〈字說〉部分。論證的理由有二，詳述如下：

1、改題之書名作者姓名與原書相關：是書名為《孫氏字說》，「孫氏」應為作者的姓氏，「字說」則表示內容與文字學有關。考察今日所存中國國家圖書館藏元刻本《履齋示兒編》[19]，作者題為「盧陵禮津孫弈季昭」或「盧陵鄉先生孫弈季昭」；書中卷十八至卷二三為〈字說〉，皆能與「孫氏」、「字說」兩詞語對應（參見書影七）。

2、《大典》引文可為文獻輔證：筆者以《大典》所引《孫氏字說》的文字，與今日所存《示兒編》比對，結果呈現了高度相同。茲舉三例如下：

（1）《大典》卷13993系字下引《孫氏字說》：

糸近系音係。

今考《示兒編・字說・畫譌》：

糸近系音係。[20]

兩段文字完全相同。

---

19 （宋）孫弈：《履齋示兒編》（北京市：北京圖書館出版社，《中華再造善本》金元編影印中國國家圖書館藏元劉氏學禮堂刻本）。

20 同前註，卷18，頁2下。

（2）《大典》卷10112只字下引《孫氏字說》：

> 只字，韻書皆音之移、之尒二切，語亦辭也，俗讀作質者，訛也。《杜詩》「只益丹心苦」、「只想竹林眠」、「寒花只帶香」、「虛懷只愛身」、「閨中只獨看」、「億渠愁只睡」，皆當讀作止。

《示兒編·字說·聲譌》：

> 只字，韻書皆音之移、之尒二切，語已辭也，俗讀作質者，訛也。《杜詩》「只益丹心苦」、「只想竹林眠」、「寒花只暫香」、「虛懷只愛身」、「閨中只獨看」、「憶渠愁只睡」，皆當讀作止。[21]

比對兩段文字，《大典》所引有三處錯別字：「語已辭」，《大典》音近而誤作「亦」；「寒花只暫香」，《大典》誤作「帶」；「憶渠愁只睡」，《大典》形近而誤作「億」[22]，除此之外，與《示兒編》內容完全相同。

（3）《大典》卷2408疏字下引《孫氏字說》：

> 《律歷志》「罷去尤疏遠者七十家」疏與踈同、《王吉傳》「布衣疏食」疏與蔬同。

《示兒編·字說·字同而異義二》：

---

21 同註19，卷18，頁12下。

22 杜甫〈薄游〉詩：「病葉多先墜，寒花只暫香」；〈憶幼子〉詩：「憶渠愁只睡，炙背俯晴軒」。

《律歷志》「罷去尤疏遠者十七家」与踈同、《王吉傳》「布衣疏食」与蔬同。[23]

比對兩段文字，《大典》所引「十七家」倒文而誤作「七十家」[24]；小字注又增加兩個「踈」字，其餘與《示兒編》內容完全相同。

二　內容大要

孫奕字季昭，號履齋，吉州廬陵人。生平不詳，宋寧宗慶元三年（1197）曾侍宴春華樓，應生活在光宗、寧宗兩朝間[25]。

《履齋示兒編》書名或省作《示兒編》，《宋史・藝文志》已著錄：

孫奕《示兒編》一部。[26]

今元刻本二十三卷，原書本為二十四卷，分為前後集（見《郡齋讀書志附志》），鄉人胡楷重編時復位為廿三卷，不分前後，今日存世刻本、抄本多由此出。《鐵琴銅劍樓藏書目録》載有「《履齋示兒編》二十三卷」，其說曰：

他卷皆標「盧陵鄉先生孫弈撰」，此第十四、十五、二十卷猶

23　同註19，卷20，頁2下。

24　《漢書・律曆志》：「乃詔遷用鄧平所造八十一分律曆，罷廢尤疏遠者十七家，復使校曆律昏明」。

25　說見趙偉含：〈履齋示兒編考述〉，《哈爾濱學院學報》第31卷第5期（2010年5月），頁83。

26　同註7，卷205。

標「盧陵禮津孫弈季昭撰」，猶舊題也，禮津當是履齋所居之地。[27]

書前有孫奕〈自序〉論及著作內容與動機：

余之少也，猶不如人，今老矣，所望者惟子與孫。然懶惰無匹，聞學褊隘，上不能進之於聖賢之域，下不能引之於利祿之塗，則以平生之末學者示之，是亦使之知學之意也……於是攷評經傳，漁獵訓詁，以立總說、經說、文說、詩說、正誤、雜記、字說凡七條。大抵論焉而不盡，盡焉而不確，非敢以汙當代英明之眼，姑以示之子孫耳，故名曰《示兒編》。

全書可分為七大部分，今依其卷次介紹如下：

卷一〈總說〉
卷二至卷六〈經說〉
卷七至卷九前半〈文說〉
卷九後半至卷十〈詩說〉
卷十一至卷十三〈正誤〉
卷十四至卷十七〈雜記〉
卷十八至卷二三〈字說〉

〈字說〉共計六卷，占全書篇幅最多，由以下幾個討論文字形音義的主題組成：

1.「畫謁」，其內容有舉例說明字形相近點畫之謁：

27 （清）瞿鏞編：《鐵琴銅劍樓藏書目錄》（上海市：上海古籍出版社，《續修四庫全書》影印清光緒常熟瞿氏家塾刻本），卷16，頁24下-25上。

彤近肜音鼕。

母近毋音無。

本近夲音滔。

此外還有：

效敚皆從攵而俗從力。

羈羇皆從网而俗從西。

舉數例說明偏旁之形譌，以及：

籠蘢並音礲，上竹器下草名。

奕弈並音亦，上大也下圍棋。

注意到了兩字聲同而筆畫稍異，字義也有分別。

2.「聲譌」，舉例說明因字音相近而互譌。如：

以兇凶為蛩。以甬勇為桶。

以態代為泰。以嚳酷為梏。

3.「字異而義同」，羅列材料，說明字或詞於典籍中有不同的寫法，如：

「九扈」《左傳》，《毛詩》「桑扈」用扈字，《尒雅》用鳸字，《說文》用雇字，又或作鶚，其實一也。

「萱」草，《毛詩》用諼字，《韓詩外傳》嵇康〈養生論〉萱字，阮籍〈詠懷詩〉用誼字，《說文》用蘬蘵蒦三字，其實一也。

4.「字同而義異」，羅列材料，說明典籍中有形音相同而字義有別者。如：

〈大禹謨〉「降」水儆予，即《孟子》謂洚水者洪水也。〈禹貢〉北過降水，水名。
「燕」燕于飛，鳦鳥。〈嘉賓〉式燕以衎，安也。

5.「字異而音同」，羅列材料，說明典籍中有音義相同而字形分別者。如：

〈項籍傳〉楚「蠭」起之將，古蜂字。〈過秦論〉豪傑蜂起。〈東方朔傳〉變作「鏠」出。〈谷永傳〉災異鋒起。〈趙廣漢傳〉專厉強壯蠭氣。〈中山靖王傳〉讒言之徒蠭生，並讀曰鋒。

6.「字同而音異」，羅列材料，說明典籍中有字形相同而音義分別者。如：

《孝經》「示」之以好惡，《周礼》天地神示，音祇。
《詩》寘彼周行，音航。《詩》有覺德行，音幸。

7.「集字」：卷廿一至廿三，共三卷，廣泛蒐集典籍文字材料，「凡諸家小說、奧篇隱衷有字音異同，皆裒集左方，以便考閱，庶急於肄業者，免泛觀之勞也。」所集典籍雜多，如：許慎《說文》、黃伯思《東觀餘論》、孫宗鑑《東皐雜錄》、胡仔《苕溪叢話》等。

學者侯體健分析《示兒編》之價值，於〈字說〉則推許其類比宋代音韻材料：

> 此書用心劬勤，時見功底，絕非一般蒙學讀物可比。該書之成績，至少有三點值得我們注意：……三即類比材料。這一點突出表現在雜記、字說諸卷。……更為學界所重視的，即其字說部分。因採用類比材料的方法，故而集中地保留了宋代的音韻，蘊含了豐富的語音流變信息，為研究宋元音韻學提供了寶貴的資料；其分析文字異同，考訂字體俗訛，亦善於搜集類比，堪稱一部小型糾謬字典。[28]

第三節　《五十先生韻寶》

一　是書為《押韻釋疑》增修元刊本

今存《大典》徵引《五十先生韻寶》5條，無撰人姓氏，書名亦不見於明清各藏書目錄[29]。與其書名較為接近者有二部，一為《韻寶》（無撰人姓氏），《文淵閣書目》昃字號第一廚書目云：

> 《韻寶》一部一冊闕。

---

28 侯體健：〈履齋示兒編的學術得失與版本流傳考略〉，《圖書館雜誌》2011年第8期（2011年8月），頁84-85。

29 筆者已先據典籍書名與時代性，排除了宋高宗《草書禮部韻寶》（國家圖書館藏元前至元戊子建安坊刊本，《文淵閣書目》著錄名《高宗草韻》）、楊慎《雜字韻寶》（傅斯年圖書館藏明萬曆間刊本）。

《秘閣書目》、《菉竹堂書目》亦同。另又有《隸疑韻寶》（無撰人姓氏），同載於《文淵閣書目》昃字號第一廚書目：

> 《隸疑韻寶》一部一冊闕。

《秘閣書目》、《菉竹堂書目》同有著錄。書名雖同有《韻寶》二字，但缺乏其他證據。

進一步檢閱相關書目題跋，筆者找到了兩則關於「五十先生韻寶」的資料，可供吾人持續考索。首先是傅增湘《藏園群書經眼錄》中有一則「五十先生釋疑韻寶」：

> 《五十先生釋疑韻寶》五卷，元刊本，十一行，黑口，左右雙闌。前有紹定庚寅袁文焴〈序〉。按：即《押韻釋疑》也。（日本帝室圖書寮藏書，己巳十一月十一日觀）[30]

據此線索復檢《圖書寮漢籍善本書目》經部小學類，著錄有《押韻釋疑》一種：

> 《押韻釋疑》五卷五冊，宋歐陽德隆、易有開同撰。宋末元初刊本，前有紹定庚寅袁文焴〈序〉。是書《四庫》所收係景定甲子重修本，與此本不同，此則歐陽氏原帙，可貴也。舊藏楓山文庫，文政中，毛利出雲守高翰所獻幕府。首有「佐伯侯毛利高標字培松藏書畫之印」印，又每冊首捺「祕閣圖書之章」印。[31]

---

30 傅增湘：《藏園群書經眼錄》（北京市：中華書局，1983年9月），第1冊頁155。

31 《圖書寮漢籍善本書目》（東京市：宮內省圖書寮，1930年12月），卷1，頁32上。

雖然可知圖書寮（今宮內廳書陵部）確實藏有《押韻釋疑》，但書目提要並未解釋其與《五十先生韻寶》之關係。最後檢得北京大學嚴紹璗教授《日藏漢籍善本書錄》，據其目驗記錄，可進一步得知詳情：

> 《押韻釋疑》(《釋疑韻寶》）五卷，宋歐陽德隆、易有開撰。宋末元初刊本，共五冊。宮內廳書陵部藏本，原豐後佐伯藩主毛利高標、紅葉山文庫等舊藏。此本封面題簽作《押韻釋疑》……然本文卷首題「五十先生釋疑韻寶上平聲」。[32]

綜合以上三條文獻材料，分析後可得以下數事：

1. 是書五卷五冊，行款為十一行，黑口，左右雙欄，前有南宋理宗紹定三年（1230）袁文焴〈序〉。

2. 民國18年（1929）傅增湘曾於日本皇室圖書寮（今宮內廳書陵部）得觀元刊本《五十先生釋疑韻寶》。

3. 傅氏考定是書即為《押韻釋疑》，嚴紹璗更詳細說明：封面題簽作《押韻釋疑》，卷首題為「五十先生釋疑韻寶上平聲」。

二　《大典》所引《韻寶》考論

日本宮內廳書陵部藏元刊本《押韻釋疑》，受限於環境因素，暫時無法目驗。因此筆者以今存《大典》徵引《五十先生韻寶》5條，與目前可檢得之宋刊本《押韻釋疑》[33]以及元刊本《魁本足註釋疑韻

32 嚴紹璗：《日藏漢籍善本書錄》(北京市：中華書局，2007年3月)，上冊，頁304。

33 中國國家圖書館藏《押韻釋疑》，宋嘉熙三年禾興郡齋刻本，收入《中華再造善本》唐宋編。《中華再造善本總目提要．唐宋編．經部》：「其作書緣起，完全是為舉子科場之用，成書當在南宋理宗紹定三年。」(中華再造善本工程編纂出版委員會編，北京市：國家圖書館，2013年7月)，頁147。

寶》[34]進行比勘，有了以下的發現：

1. 經筆者目驗後，兩書卷首均無「五十先生釋疑韻寶」相關字句。

2.《大典》所引《韻寶》非宋刊本《押韻釋疑》：《大典》卷19783「伏」字釋義：

> 伏、歐陽德隆《押韻釋疑》「伏義，漢伏勝書序，伏犧注古作虙，此韻內無，光武赤伏符此是」……《五十先生韻寶》「伏作伏非，徒蓋切，正作虙」。

《大典》於伏字下同時引《押韻釋疑》與《五十先生韻寶》兩部韻書的釋義，文字各有不同，據此可知《大典》所引《韻寶》與宋刊本《押韻釋疑》應當別為二書。

3.《大典》所引《韻寶》非元刊本《魁本足註釋疑韻寶》：《大典》卷13341豉字：

> 豉、豉作豉非，充句切。

《魁本足註釋疑韻寶・上聲十姥》：

> 古、公土切，故也。……鼓、革曰鼓。（頁上有「鼓作皷非」四字）

34 上海圖書館藏《魁本足註釋疑韻寶》，元刻本，收入《中華再造善本》金元編。《中華再造善本總目提要・金元編・經部》：「是書不題撰人姓名……分部依據南宋重刊之《禮部韻略》……蓋坊肆設利者為之，可以助場屋之一得。」，見頁947。

兩者釋義與反切皆有別。又《大典》卷19783伏字：

> **伏作伏非，徒蓋切，正作虑。**

《魁本足註釋疑韻寶．上聲十姥》：

> **伏、房六切，故也。**

兩者的文字明顯有別。

綜合上述討論，筆者認為《大典》所引《韻寶》性質與郭守正《增修校正押韻釋疑》、《魁本足註釋疑韻寶》相同，皆為後人增補修訂的《禮部韻略》系韻書，其用途在於場屋干祿之便利。

第五章
結論

一　《永樂大典》副本之聚散

《永樂大典》共二二八七七卷，一萬一千餘冊，自明代嘉靖年間重錄副本之後，經歷了種種厄劫，今日殘存八百餘卷，數量僅及原書的百分之三。以下略引數段文字，可以看出清代以降《大典》卷數及冊數的變化[1]。

清初學者徐乾學〈補刻編珠序〉云：

> 以余所見，萬曆時張萱《內閣書目》存者十不得一二，猶往往有宋雕舊本，幷皇史宬《永樂大典》，鼎革時亦有佚失。往者嘗語詹事，值皇上重道右文，千古罕遘，當請命儒臣重加討論，以其秘本刊錄頒布，用表揚前哲之遺墜於萬一矣。[2]

徐氏此序寫於康熙三十二年（1693），除了倡議整理《大典》外，也點出了明清兩代政權更替時，《大典》已有散失，數量不明。

乾隆時安徽學政朱筠奏請蒐訪遺書，並建議校核《大典》，《大典》重新受到官方重視。乾隆三十八年，經派員至翰林院訪查後，記

1　《大典》錄副本流傳詳情，參見張昇《永樂大典流傳與輯佚研究》（北京市：北京師範大學出版社，2010年6月），第2章第3節〈永樂大典副本流傳史〉，頁55-111。

2　舊題（隋）杜公瞻撰、（清）高士奇補遺：《編珠》（臺北市：臺灣商務印書館，影印《文淵閣四庫全書》冊887）。

錄下當時《大典》的存佚情況：

> 臣等查《永樂大典》原書共一萬一千餘本，今現存九千餘本，叢雜失次，一時難以遍查。　乾隆三十八年二月初十日〈軍機大臣奏檢出永樂大典目錄及全書各十本呈進片〉[3]

在開四庫館，實際從事《大典》輯佚工作之前，已遺失了一千本，尚存《大典》九千餘本。二十年後，隨著《四庫全書》編纂工作告一段落，再次清點時，有了較精確的數字：

> 遵查《永樂大典》止有一部，現在翰林院衙門存貯。原書共二萬二千九百三十七卷，除原缺二千四百四卷，實存二萬四百七十三卷，共九千八百八十一本外，有目錄六十卷。　乾隆五十九年十月十七日〈軍機大臣奏遵查永樂大典存貯情形並將首卷黏簽呈覽片〉[4]

據上，乾隆在位期間，《大典》實存20473卷、9881冊（合計目錄尚存20533卷、9941冊）。

此後經歷嘉慶、道光二朝，雖仍有零星查閱《大典》之記錄，但庋藏於翰林院的《大典》，漸漸乏人問津。而《大典》因為本身的獨特性與文物價值，開始引起了收藏家、古董商的覬覦，令人感嘆的是翰林文臣及保管者更趁機監守自盜，造成《大典》自此不數年間大量

3　中國歷史第一檔案館編：《纂修四庫全書檔案》（上海市：上海古籍出版社，1997年7月），頁56。

4　同前註，頁2372。

散失[5]。傅增湘〈永樂大典跋〉云：

> 度閣既久，扃鐍漸疏。職掌者既取攜自如，吏胥輩又時時盜竊，聽其日以消亡，曾不為之整理。[6]

郭伯恭也有類似的看法：

> 乾隆以後，《永樂大典》之面目漸為人所知，而近水樓台之翰苑諸臣，對於此書益存覬覦之心，於是此書之散失，則日益加劇。[7]

至咸豐時由於推行洋務運動，翰林院緊鄰英人使館區，也讓《大典》邁入最後的悲運。繆荃孫〈永樂大典考〉云：

> 咸豐庚申，與西國議和，使館林立，與翰林院密邇，書遂漸漸遺失。光緒乙亥，重修翰林院衙門，度置此書，不及五千冊。嚴究館人，交刑部斃於獄，而書無著。余丙子入翰林，詢之清秘堂前輩云：「尚有三千餘冊」，請觀之，則群睨而笑，以為若庶常習散館詩賦耳，何觀此不急之務為？且官書焉能借？……癸巳起復，詢之則只賸六百餘冊。庚子鉅劫，翰林院一段皆劃

5 葉德輝：《書林清話．似叢書非叢書似總集非總集之書》：「《永樂大典》有百餘本在萍鄉文芸閣學士廷式家。文故後，其家人出以求售，吾曾見之。皆入聲韻，白紙八行朱絲格鈔，書面為黃絹裱紙。蓋文在翰林院竊出者也。」收錄於《郎園先生全書》（民國24年長沙中國古書刊印社匯印本）。

6 傅增湘：《藏園群書題記》（上海市：上海古籍出版社，1989年6月），頁487。

7 郭伯恭：《永樂大典考》（長沙市：商務印書館，1938年），第9章〈永樂大典之散亡〉，頁163。

入使館，舊所儲藏均不可問，《大典》只存三百餘冊。正書早歸天上，副本亦付劫灰，後之人徒知其名而已，可勝歎哉！[8]

據上引之文，可知《大典》的數量自咸豐後開始大量減少，光緒元年（1875）已不到五千冊；光緒二年（1876）只剩三千餘冊，乾隆洎光緒便短少了六千冊之多。光緒十九年（1893）只剩六百餘冊，短短二十年間，又少了二千餘冊。光緒二十六年（1900）爆發庚子拳亂，翰林院慘遭戰火波及，古籍灰飛煙滅，《大典》最後倖存三百餘冊。

民國肇造，百廢待興，孫壯〈永樂大典考〉記錄了《大典》最後的統計數字：

壬子翰林院裁撤，國務院接收後，僅餘六十四冊，現居存仁堂北平圖書館中，桑海屢經，不勝零落之慨。東西人士，慕此書之名，爭以重值購取，歷年散失之故，大部由此。[9]

回顧這段國故淪胥、典籍散亡的滄桑史，傅增湘〈永樂大典跋〉文最末，真實地傳達文獻愛好者的浩歎與扼腕：

余嘗歎乾隆之世，文治昌明，鴻生鉅儒，應運而出。使脩書之役，寬予程期；所輯群書，從容釐定，不致貽後來疏漏之譏。即不然，能納錢心壺給諫之言，重開輯書之館，其時亡佚無多，續事搜羅，采獲必當不尠。乃因循擱置，坐令萬冊奇書委

8 （清）繆荃孫：《藝風堂文續集》（上海市：上海古籍出版社，《續修四庫全書》影印清宣統二年刻民國二年印本），卷4。

9 孫壯：〈永樂大典考〉，《國立北平圖書館館刊》第2卷第3.4合期（1929年3月），頁191。

之吏胥之手，潛移私竊，寖致銷沉，致令吾輩於殘編斷簡之中掇捨萬一，致力雖勤，而為功無幾，令人擲筆三嘆，慨憤於無窮也！[10]

今日經由學者專家與各文獻收藏、出版機構的努力，殘存的《大典》多已影印出版，提供學界利用，其中較為重要的有台灣大化書局出版《永樂大典》、北京中華書局出版《永樂大典》[11]，以及上海古籍出版社《海外新發現永樂大典十七卷》[12]，目前已知殘存的數量為八百餘卷，四百餘冊。

研究《大典》的這段期間，陸續傳來令人欣喜的好消息，在民間以及海外私人藏書館，又發現了尚存天壤的兩冊《大典》，茲附記於後。

2013年10月，中國國家圖書館入藏一冊《永樂大典》（卷2272-2274，平聲六模韻「湖」），內容為湖字有關詩文。此冊原為加拿大籍華人袁葰文女士所藏，2007年中國古籍普查專家組意外發現後，中國國家圖書館與國家文物局共同組織專家先後進行了四次鑒定，認定其為明嘉靖年間寫本。[13]

2014年10月，美國洛杉磯亨廷頓圖書館公布了由館員發現的一冊館藏《永樂大典》（卷10270-10271，上聲二紙韻「子」，參見附圖一），內容為《禮記．文王世子》。此冊為傳教士Joseph Whiting得於

10 同註6，頁487。

11 書前「重印說明」云：「一九六〇年，中華書局曾就當時徵集到的七百三十卷影印出版，分裝二十函，共二百零二冊。此後二十餘年間，我們繼續調查，經多方聯繫，現又陸續徵集到六十七卷」合計總收797卷。

12 書前胡道靜〈序〉：「現藏美國二卷、日本二卷、英國五卷、愛爾蘭八卷，凡十七卷」。

13 參見薛帥：〈永樂大典一冊孤本邂逅民間〉，《中國文化報》，第2版，2014年8月13日。

清末庚子之亂，1968年由女兒Mabel Whiting捐贈給亨廷頓圖書館。除了公開展示之外，吾人也能於線上一睹原卷面貌（http://hdl.huntington.org/cdm）。[14]

二　殘存《大典》猶具研究價值

清代《四庫全書》已收入「永樂大典本」輯本三百餘種，具體呈現《永樂大典》於校勘輯佚之巨大價值。乾隆御製詩〈命校永樂大典因成八韻示意〉揭露其敕命整理《大典》的心態與企圖：

> 大典猶看永樂傳，搜羅頗見費心堅。
> 兼收釋道欠精覈，久閱滄桑惜弗全。
> 未免取裁失踳駁，要資稽古得尋沿。
> 貪多遂致六書混，割裂都緣正韻牽。
> 彼有別謀漫深論。我惟愛古命重編。
> 詞林排次俾分任，綸閣鉛黃更總研。
> 何不可徵惟杞宋，寧容少誤致天淵。
> 崇文籍以偕四庫，摛什因而示萬年。[15]

乾隆帝認為《大典》雖有取裁失當、割裂原書之弊，卻有廣採文獻之功。法式善〈校永樂大典記〉論《大典》亦云：

---

14 參見楊琳：〈新發現的一冊永樂大典述略〉，《尋根》2015年第3期（2015年5月），頁99-102。

15 （清）清高宗：《御製詩集四集》（臺北市：臺灣商務印書館，影印《文淵閣四庫全書》冊1307-1308），卷14。

> 此書發凡起例寔未美善，而宋、元以後書，固已搜羅大備，世間未見之鴻文秘笈，賴此而存。……苟欲考宋、元兩朝制度文章，蓋有取之不盡，用之不竭者焉。[16]

雖然《大典》經過學者多方整理，已創獲頗多，但今日所存之《大典》殘卷，仍有其持續研究的學術價值。胡道靜云：

> 如今，現存於世的《大典》百分之九十以上經中華書局匯集影印了出來……我把這兩百零兩冊書粗粗閱讀一遍後，感覺這座礦山自全謝山他們以來，經歷兩百多年的不斷挖掘，礦藏的本身雖經劫難而殘餘無幾，但礦脈仍未告絕，輯佚校勘，提供學術研究的資料，還是大有可為。[17]

胡氏認為殘存《大典》於校勘輯佚之學術資料，仍是大有可為。顧力仁也有同樣的觀點：

> 《大典》雖經四庫館臣之大規模採擷，不過取一瓢飲，逕言「菁華已採，糟粕可捐」(四庫提要語)，寧非妄語，後人陸續諸輯作可為明證。即以今存《大典》殘卷而云，雖不過原帙之二八分之一，然爬羅剔抉，其零金碎玉可資採擷者仍復不少。[18]

16　(清) 法式善：《存素堂文集續集》(上海市：上海古籍出版社，《續修四庫全書》影印清嘉慶十二年程邦瑞揚州刻增修本)，續集卷4。

17　胡道靜：〈讀影印本永樂大典記〉，《中國古代典籍十講》(上海市：復旦大學出版社，2004年5月)，頁179。

18　顧力仁：《永樂大典及其輯佚書研究》(臺北市：文史哲出版社，1985年9月)，第9章〈永樂大典存本待輯書目〉，頁414。

黃永年提到可以三階段工作整理《大典》：

> 如何開展，我認為倒很簡單，即首先給現存的《永樂大典》，做出詳細可靠的引書索引。……第二步，把現存的《永樂大典》變成一部叢書，即根據引書索引，把現存《永樂大典》中所收的書，不論是全書抑片段，通通像輯佚書那樣編輯起來……至於還想更進一步，將輯出的已佚之書分別撰寫學術性的提要，如陳垣先生當年所寫的〈書傳藏永樂大典本南臺備要後〉那樣，自然最好。[19]

史廣超則提出《大典》可資輯佚的研究方向：

> 《大典》研究最盛者，則為校讎輯佚一途。其研究主要有以下幾個方面：
> 一、輯佚書目之董理。
> 二、《大典》輯本之考證。
> 三、輯佚者功績之考辨。[20]

上述諸人對殘存《大典》之價值皆持高度肯定，而早在三十年前，于長卿教授即已撰文倡議可據以建立「大典學」，洵為卓識：

> 大典之價值既如此，可據大典以從事之事又如此之多，我想，

19 黃永年：〈從永樂大典的性質談如何利用〉，《黃永年古籍序跋述論集》（北京市：中華書局，2007年9月），頁471-472。

20 史廣超：《永樂大典輯佚述稿》（鄭州市：中州古籍出版社，2009年9月），〈緒論〉，頁1-10。

> 如果以永樂大典作基礎，建立成一門「大典學」，則這份零編斷簡，足以霑溉後人者，將不知凡幾。……學者茍善加利用焉，其為一予取予求之學術寶庫，殆無疑問。[21]

顧力仁認為「永樂大典之整理與研究」，可譽為民國以來第六種新史料之發現，與「敦煌學」、「簡牘學」在學術上有同樣的價值與貢獻，並提出了「大典學」進行的兩個方向：

一、《大典》本身的整理
（一）工具書之製作
1.索引之編製
2.書目之編製
3.提要之撰寫
（二）《大典》之考證
（三）《大典》之刊印
（四）《大典》之還原
二、《大典》之利用
（一）輯佚
1.增諸家之未輯
2.補諸家之漏輯
（二）校勘
（三）書誌學之整理
1.《文淵閣書目》之補證
2.糾補遼、金、元三史藝文志

---

21 于大成：〈永樂大典與大典學〉，《理選樓論學稿》（臺北市：臺灣學生書局，1979年6月），頁408。

3.存本引用書之考證

（四）事典史文之稽核與詩文之尋檢[22]

顧氏認為《大典》本身的整理為「體」，《大典》之利用為「用」，二者為「大典學」可資從事者尚多。

其後，郝艷華肯定了「大典學」作為一門專學而獨立存在的必要性和可能性，其說曰：

> 首先，《大典》自身的學術價值是「大典學」建立的基礎……其次，六百年來圍繞《大典》而形成的豐厚學術積累為「大典學」的確立增添了研究內容……再次，未來《大典》整理與研究中的無限可開拓空間為「大典學」的確立提供了廣闊的學術前景。[23]

郝氏進而為「大典學」的理論架構作出前瞻性設想：

> 從學科建設的角度來講，廣義上的「大典學」應該包括以下三個層面的內容：一是對《大典》的整理和研究，二是對《大典》整理研究成果的再研究，三是《大典》研究史和「大典學」研究方法的總結。……具體來說，就是要在《大典》整理研究中不斷補充、借鑒相關學科的研究方法，推動其向深度與廣度發展。[24]

---

22 同註18，第10章〈結論〉，頁506-511。

23 郝艷華：《永樂大典史論——六百年來的流傳整理與研究》（香港：中國古文獻出版社，2009年12月），頁286-287。

24 同前註，頁289。

三　本書之研究成果

筆者上承歷代輯佚梳理之豐碩成果，自今日殘存《大典》中補苴鉤沉，又輯得十餘部當日未得四庫館臣輯錄，近代學者亦未留心之小學書[25]，分為字書與韻書兩部分，於其書名卷數、作者、流傳、內容等，稍事考證。所輯之書，雖不能盡復舊觀，猶可略窺其書梗概，此即清儒焦理堂所云：

> 摭拾者，其書已亡，間存他籍，採而聚之，如斷圭碎璧，補苴成卷，雖不獲全，可以窺半是學矣。[26]

考證細節，詳見第二章與第三章，以下總結本研究課題之綜合成果。

（一）撰成提要

曹書杰認為必須透過撰寫序跋或說明，以總結輯佚成果，使讀者有一個概括的了解：

> 輯佚工作完成之後，都應有一篇學術性很強的自《序》（《說明》）、《後跋》或《後記》，以此使讀者了解該書的作者生平、學識著述、時代背景、該書撰著始末、學術價值、歷代流傳

25　曹書杰論及佚書查找的途徑，可利用專題專類書目。清代以來，許多專門的書目兼記存、佚、闕、未見，據而基本可知有關書之存佚，但應注意的是其注為「佚」者，未必盡佚。見張三夕主編：《中國古典文獻學》（武漢市：華中師範大學出版社，2007年2月第二版），第6章第3節〈輯佚的基本方法〉，頁209。

26　（清）焦循：《雕菰集》（上海市：上海古籍出版社，《續修四庫全書》影印清道光四年阮福嶺南節署刻本），卷8，頁1。

（文獻徵引、書目著錄、亡佚的時間），前人是否有輯本及自己輯佚的動機、緣起始末、輯佚的基本方式等。[27]

筆者自今日殘存《大典》中，輯得十餘部宋元以來小學書，援《四庫全書》「永樂大典本」之例，為各書略事提要，俾學者易於了解。

（二）辨章學術，考鏡源流

1 考作者

所輯小學書之作者，有不見於正史，或為人所罕知者。筆者翻檢方志、雜著筆記與各家文集，多方考證其生平經歷，所得有：

（1）姚敦臨正史未見，可參南宋張世南之《游宦紀聞》，明其撰作《二十體篆》之原由。

（2）鄭之秀正史未見，可據清同治修《貴溪縣志》與元大德本《新編事文類聚翰墨大全》所引詩文之比勘，考定即為南宋嘉定四年進士鄭芝秀。

（3）李璽正史未見，據宋景定修《建康志・儒學志》、元《至大金陵新志・儒籍》、明萬曆修《應天府志・科貢表》，可得其生平與仕官經歷，並據吳澄〈存古正字序〉明其撰作《存古正字》之動機。

（4）倪鏜正史無傳，生平詳見清同治修《貴溪縣志・人物・儒林》，又可據塵相山〈六書類釋序〉，明《六書類釋》之梗概。

（5）張子敬正史未見，可據元好問〈癸巳歲寄中書耶律公書〉、清施國祁《元遺山詩集箋注》知其本名張肅，並據方回〈送張子

---

27 曹書杰：《中國古籍輯佚學論稿》（長春市：東北師範大學出版社，1998年9月），第9章第6節〈輯佚成果的總結〉，頁307。

敬湖南宣慰司都事併序〉及張伯淳〈送張子敬湖南宣慰使都事序〉得其交游及仕宦概況。

（6）魏柔克正史無傳，可據元《至大金陵新志・官守志》、清《廣東通志・職官志》，知其於大德十年任監察御史，授承務郎；至大四年任廣東廉訪僉事。

（7）楊益正史無傳，可據清乾隆修《南雄府志・名宦列傳》、清光緒修《撫州府志・職官志》，知其至元二年任南雄路總管，至正二年任撫州路總管。

（8）孫吾與正史無傳，生平事蹟可參見清道光修《豐城縣志・人物志》。

2 定書名

（1）《大典》引婁機之書，書名作《廣干祿字》，《崇禎嘉興縣志・藝文志》作《廣干祿字編》，今從《宋史・藝文志》、《直齋書錄解題》、《玉海》、《文獻通考》各史志書目，定為《廣干祿字書》。

（2）《大典》引吾衍之書，各家書目或作《說文續解》，今據《學古編》及《大典》所引，定為《說文續釋》。

（3）《大典》引高衍孫之書，書名作《學書韻總》，《學古編》作《五書總韻》，《法書考》、《國史經籍志》、《絳雲樓書目》作《五書韻總》，《千頃堂書目》、《小學考》作《五音韻總》。今據其書收錄書體性質，定為《五書韻總》。

（4）《大典》引張子敬之書，《秘閣書目》、《菉竹堂書目》作《字原韵畧》，《內閣藏書目錄》、《千頃堂書目》作《經史字源》，今以《大典》所引書名最為完備，定名為《經史字源韻略》。

（5）《大典》引魏柔克之書，《秘閣書目》作《正宗韻綱》，《內閣藏書目錄》作《正字訓綱》，今據《永樂大典》及其他書目定為《正字韻綱》。

（6）《大典》引孫吾與之書，《千頃堂書目》、《明史・藝文志》作《韻會訂正》，《晁氏寶文堂書目》作《韻會正定》，今據《永樂大典》及其他書目定為《韻會定正》。

3 廣文獻

（1）《全宋詩》但據方志收錄鄭芝秀詩作〈芙蓉峰〉，今可據元大德本《新編事文類聚翰墨大全》補收其人〈清端樓賦〉（文長不錄）、〈牖軒銘〉作品兩篇，可補《全宋文》之不足。茲引鄭氏〈牖軒銘〉一文如後，以饗讀者：

維茲神舍，靈瑩無垢。
一有未明，暗室如黝。
亦毋綺疏，亦毋豐蔀。
雖甕生明，葆光內守。

（2）張子敬的著作除《經史字源韻略》已為《大典》所引之外，筆者又據清施國祁《元遺山詩集箋注》，考得張氏官河南時所作〈塞上曲〉古詩一首，可補文獻之不足，其詩云：

對月笛中起，愴然傷我情。
秋風一萬里，都向笛中生。
遙憐漢軍口，掩淚下邊城。

4 輯佚《大典》需嚴謹

劉咸炘曾論輯佚之難云：

> 輯佚書非易事也，非通校讎，精目錄，則譌舛百出，近世此風大盛，而佳者實少。[28]

曾貽芬、崔文印論及輯佚之失，舉馬國翰以及《全唐詩續補遺》為例，認為輯佚的難度是不可忽視的問題，其說云：

> 實踐證明，輯佚工作稍有疏忽，就可能出現輯錯、漏輯、重輯等問題，輯佚大家也難以避免。[29]

張舜徽於《廣校讎略》有更深入的見解：

> 輯佚必須有識，否則妄以他書為本書，厚誣古人矣。……學者苟有志乎蒐輯遺書，首必究心著述流別，審知一書體例，與之名近者幾家，標題相似者有幾，皆宜了然於心，辨析同異；次則諦觀徵引者之上下語意，以詳覈之本書，庶幾真偽可分，是非無混，別擇之際，或可寡過耳。[30]

---

28 劉咸炘《目錄學》，收錄於黃曙輝編校：《劉咸炘學術論集．校讎學編》（桂林市：廣西師範大學出版社，2010年6月），頁279〈存佚第二〉。

29 曾貽芬、崔文印：《中國歷史文獻學》（北京市：學苑出版社，2001年6月），頁183-194〈重要的輯佚書及輯佚之失〉。

30 張舜徽：《廣校讎略》（北京市：中華書局，1963年4月），卷四〈論輯佚之難於別擇〉，頁108-109。

（1）文獻整理工作必須小心謹慎：本書第四章討論《大典》所引三種小學書，透過仔細考究，始知王柏《正始之音》未亡佚，於程端禮《程氏家塾讀書分年日程》中錄有全帙；《孫氏字說》其書即為南宋孫弈《履齋示兒編》中的〈字說〉篇；《五十先生韻寶》為《押韻釋疑》之元代增修本，對於三書有更正確而深刻的認識。

（2）《永樂大典目錄》原有六十卷六十冊，當日儒臣曾以前十冊進呈供乾隆御覽[31]。可惜今已不存，所幸有靈石楊氏連筠簃叢書本存世，可得《大典》之纂輯凡例及各卷收錄內容。惟使用時須留意，不可盡信。以卷909為例，《目錄》：

卷之九百九　詩、諸家詩目五。

然細檢《大典》原卷，於「諸家詩目五」、「詩氏」之末，尚收有「邿」、「翅」兩字，《目錄》均未載。

（3）欒貴明所編《永樂大典索引》係根據北京中華書局正續編線裝本編製而成，依《大典》所引書籍的作者立目，查檢容易，嘉惠後學。惟其書成於一人之手，疏漏難免，以本研究為例，《索引》出現了以下幾種情況：

失收：《大典》卷2347於字下引《廣干祿字書》「於呼、呼也。」，《索引》未收。又《大典》卷2408䶑字下引《六書類釋》「囟諧疋聲。」，《索引》未收。

誤收：《索引》頁439：卷19426.15A韉，列於《字濴博義》之

31 同註3，〈軍機大臣奏檢出永樂大典目錄及全書各十本呈進片〉：「今謹將目錄六十本內檢出首套十本，及全書內首套東、冬字韻十本，一併檢出，先行進呈御覽，謹奏」。

下，檢《大典》原卷，𩣺字下實未徵引《字瀿博義》。

誤植：《大典》卷2807丕字下引《韻會定正字切》「滂圭滂娉偏丕。」但《索引》誤植於《韻會定正》之下。

故利用《索引》時，仍須仔細複查《大典》原卷，以求慎重。

(三) 輯佚書之學術價值

本次自《大典》中所輯得小學書，於《四庫全書》正編及存目皆未著錄，可惜《大典》劫後所存無多，不能盡復原書舊觀。研究過程中，曾得到行政院國科會專題研究計畫補助，已先後發表相關論文數篇，其他如《二十體篆》、《字瀿博義》及《韻會定正》，也有丁治民、鄧強、李曼等大陸學者專文撰述。以下略述所輯小學書之價值，期待更多學者藉本書所輯本持續研究。

1 《廣干祿字書》

宋婁機《廣干祿字書》於《宋史・藝文志》已著錄，婁氏長於字學，所著《班馬字類》、《漢隸字源》今日皆有傳本存世，獨《廣干祿字書》早佚。考察所輯大典本內容，可與《班馬字類》比勘，並得其引用來源、字體規範標準及了解南宋以降字樣觀念的改變。

2 元代小學書

《永樂大典》之輯佚價值，主要集中在宋元舊籍，鄒帆、胡偉云：

> 《永樂大典》是編纂于明初的大型類書，所收文獻多為宋元舊本，是輯佚宋元典籍之淵藪。[32]

32 鄒帆、胡偉：〈論永樂大典的方志輯佚價值——以宋元方志叢刊中輯本為例〉，《群文天地》2011年第8期，頁3轉頁5。

本次所輯，計得元代小學書五種：李𨪷《存古正字》、倪鏜《六書類釋》、吾衍《說文續解》、張子敬《經史字源韻略》以及魏柔克《正字韻綱》。雖皆為斷圭碎璧，但可略考元人之文字學。

3 《字潫博義》

《字潫博義》雖不著撰人姓氏，然所輯佚文多達384條，部分輯文釋音、釋義俱徵引完備，於字書研究價值頗高，吾人可據以了解元明字書之演進情況，並增補歷代字書與教育部《異體字字典》之不足。

（1）明字書之傳承

禑、禑，同上　卷2344

案：《集韻・模韻》：「禑、福也」，音訛胡切；《集韻・虞韻》：「禑、福也」，音元俱切。「禑」、「禑」本別為二字，後因義同韻近而相混用，故《字彙・示部》云：「禑、與禑同」，今得《字潫博義》佚文，知《字彙》之說蓋前有所本。

（2）補歷代字書之不足

𨑨、許未切，廢也　卷13992

案：「𨑨」字僅見於《字潫博義》，並有完整反切與釋義，《永樂大典》音「許意切」。此字歷代字書、韻書及教育部《異體字字典》均未收，可據《字潫博義》補。

參考文獻：引用書目

一　古籍

經部

周易注疏　影印清嘉慶二十年江西府學十三經注疏本　臺北市　藝文印書館

詩經注疏　影印清嘉慶二十年江西府學十三經注疏本　臺北市　藝文印書館

周禮注疏　影印清嘉慶二十年江西府學十三經注疏本　臺北市　藝文印書館

禮記注疏　影印清嘉慶二十年江西府學十三經注疏本　臺北市　藝文印書館

左傳注疏　影印清嘉慶二十年江西府學十三經注疏本　臺北市　藝文印書館

經學歷史　（清）皮錫瑞　續修四庫全書影印清光緒三十二年思賢書局刻本　上海市　上海古籍出版社

經部小學類

說文解字　（漢）許慎著　（宋）徐鉉校定　續古逸叢書影印上海涵芬樓影日本岩崎氏靜嘉堂宋刊本　南京市　江蘇古籍出版社

干祿字書　（唐）顏元孫　叢書集成簡編影印明夷門廣牘石拓刻本　臺北市　臺灣商務印書館
五經文字　（唐）張參　叢書集成簡編影印清後知不足齋叢書本　臺北市　臺灣商務印書館
墨藪　（唐）韋續　景印文淵閣四庫全書本　臺北市　臺灣商務印書館
群經音辨　（宋）賈昌朝　四部叢刊續編影印日本岩崎氏靜嘉文庫藏元刊本　上海市　商務印書館
大廣益會玉篇　（宋）陳彭年等　影印元建安鄭氏刊本　臺北市　新興書局
廣韻　（宋）陳彭年等　影印南宋孝宗巾箱本補配高宗紹興浙刊本孝宗乾道鉅宋本　南京市　江蘇教育出版社
集韻　（宋）丁度等　影印中國國家圖書館藏宋本　北京市　中華書局
類篇　（宋）司馬光等　影印清姚覲元刊本　北京市　中華書局
班馬字類　（宋）婁機　四部叢刊三編影印汲古閣影宋寫本　臺北市　臺灣商務印書館
夢英十八體篆書　（宋）夢英　西安碑林全集碑刻第26卷　廣東經濟出版社、深圳海天出版社
墨池編　（宋）朱文長　石刻史料新編第4輯影印明萬曆八年刊本　臺北市　新文豐圖書公司
押韻釋疑　（宋）歐陽德隆　中華再造善本唐宋編影印中國國家圖書館藏宋嘉熙三年禾興郡齋刻本　北京市　北京圖書館出版社
魁本足註釋疑韻寶　中華再造善本金元編影印上海圖書館藏元刻本　北京市　北京圖書館出版社

古今韻會舉要 (元)黃公紹編輯(元)熊忠舉要 清光緒9年淮南書局重刊本 日本京都 中文出版社

字鑑 (元)李文仲 中華漢語工具書書庫影印清康熙張士俊澤存堂刊本 合肥市 安徽教育出版社

五音集韻 (金)韓道昭 景印文淵閣四庫全書本 臺北市 臺灣商務印書館

四聲篇海 (金)韓道昭 四庫全書存目叢書影印北京大學圖書館藏明成化七年金臺釋文儒募刻鈔本 臺南市 莊嚴出版社

洪武正韻 (明)宋濂等編 哈佛大學漢和圖書館藏明嘉靖四十年劉以節刊本

洪武正韻牋 (明)宋濂等編、楊時偉補牋 四庫全書存目叢書影印浙江圖書館藏明崇禎四年刻本 臺南市 莊嚴出版社

轉注古音略 (明)楊慎 叢書集成新編影印函海叢書本 臺北市 新文豐圖書公司

正字通 (明)張自烈 中華漢語工具書書庫影印清康熙清畏堂刊本 合肥市 安徽教育出版社

重訂直音篇 (明)章黼 續修四庫全書影印北京圖書館藏明萬曆三十四年明德書院刻本 上海市 上海古籍出版社

字彙 (明)梅膺祚 中華漢語工具書書庫影印明萬曆四十三年刊本 合肥市 安徽教育出版社

字彙補 (清)吳任臣 中華漢語工具書書庫影印清康熙五年彙賢齋刊本 合肥市 安徽教育出版社

康熙字典 (清)張玉書等編、王引之等校訂 影印清道光七年重刊本 上海市 上海古籍出版社

廿體千字文 (清)孫丕顯輯 日本早稻田大學圖書館藏日本延寶七年京都井筒屋六兵衛刊本

歷朝聖賢篆書百體千文　（清）孫枝秀輯　日本早稻田大學圖書館藏和刻本

史部

漢書　（漢）班固撰　北京市　中華書局標點本
通志　（宋）鄭樵　影印萬有文庫十通本　北京市　中華書局
宋史　（元）脫脫等修　北京市　中華書局標點本
文獻通考　（元）馬端臨　萬有文庫第2集　上海市　臺灣商務印書館
稗史集傳　（元）徐顯　四庫全書存目叢書影印北京圖書館藏明刻本　臺南市　莊嚴出版社
元史　（明）宋濂等修　北京市　中華書局標點本
河源紀略　（清）紀昀　景印文淵閣四庫全書本　臺北市　臺灣商務印書館
元史類編　（清）邵遠平編　元明史料叢編第1輯影印清掃葉山房本　臺北市　文海出版社

史部方志類

建康志　（宋）馬光祖修、周應合纂　宋元方志叢刊影印宋景定二年修清嘉慶六年金陵孫忠愍祠刻本　北京市　中華書局
金陵新志　（元）張鉉　中國方志叢書影印元至正四年刊本　臺北市　成文出版社
姑蘇志　（明）林世遠、王鏊等纂　北京圖書館古籍珍本叢刊影印明正德刻嘉靖續修本　北京市　書目文獻出版社

廣信府志　（明）張士鎬、江汝壁等纂修　四庫全書存目叢書影印天一閣藏明代方志選刊續編影印明嘉靖刻本　臺南市　莊嚴出版社
仁和縣志　（明）沈朝宣修　四庫全書存目叢書影印清華大學圖書館藏清光緒錢塘丁氏嘉惠堂刻武林掌故叢編本　臺南市　莊嚴出版社
應天府志　（明）程嗣功、王一化修　四庫全書存目叢書影印日本內閣文庫藏明萬曆五年刻本　臺南市　莊嚴出版社
廣東通志　（明）郭棐纂修　四庫全書存目叢書影印日本內閣文庫藏明萬曆三十年刻本　臺南市　莊嚴出版社
嘉興縣志　（明）羅炌　日本藏中國罕見地方志叢刊影印日本宮內省圖書寮藏明崇禎十年刻本　北京市　書目文獻出版社
浙江通志　（清）嵇曾筠等修、（清）沈翼機等纂　景印文淵閣四庫全書本　臺北市　臺灣商務印書館
南雄府志　（清）梁宏勛等修、蔡必陞等纂　故宮珍本叢刊影印清乾隆十八年刻本　海口市　海南出版社
鄞縣志　（清）錢維喬修、錢大昕纂　續修四庫全書影印華東師範大學圖書館藏清乾隆五十三年刻本　上海市　上海古籍出版社
貴溪縣志　（清）胡宗簡修、張金鎔等纂　中國國家圖書館藏清道光四年刻本
豐城縣志　（清）徐清選修、毛輝鳳纂　中國方志叢書影印清道光五年刊本　臺北市　成文書局
大清一統志　（清）穆彰阿等纂　四部叢刊續編影印清道光二十二年進呈寫本　臺北市　臺灣商務印書館
安仁縣志　（清）朱潼修　（清）徐彥楠、（清）劉兆傑纂　中國地方志集成江西府縣志輯影印清同治十一年刻本　南京市　江蘇古籍出版社
嘉定縣志　（清）程其珏修、楊震福等纂　地方志人物傳記資料叢刊影印清光緒七年刻本　北京市　國家圖書館出版社

史部目錄類

直齋書錄解題　（宋）陳振孫　上海市　上海古籍出版社
文淵閣書目　（明）楊士奇等編　明代書目題跋叢刊影印清顧修輯讀畫齋叢書本　北京市　書目文獻出版社
秘閣書目　（明）錢溥　四庫全書存目叢書影印中國科學院圖書館藏清鈔本　臺南市　莊嚴出版社
菉竹堂書目　（明）葉盛　四庫全書存目叢書影印上海圖書館藏清初鈔本　臺南市　莊嚴出版社
南濠居士文跋　（明）都穆　續修四庫全書影印北京圖書館藏明刻本　上海市　上海古籍出版社
南廱志經籍考　（明）梅鷟　明代書目題跋叢刊影印清光緒二十八年長沙葉氏重刊本　北京市　書目文獻出版社
晁氏寶文堂書目　（明）晁瑮　明代書目題跋叢刊影印明藍格鈔本　北京市　書目文獻出版社
國史經籍志　（明）焦竑　四庫全書存目叢書影印江蘇省寶應縣圖書館藏明萬曆三十年陳汝元函三館刻本　臺南市　莊嚴出版社
內閣藏書目錄　（明）孫能傳、張萱編　續修四庫全書影印北京圖書館藏清遲雲樓抄本　上海市　上海古籍出版社
絳雲樓書目　（明）錢謙益　續修四庫全書影印北京圖書館藏清嘉慶二十五年劉氏味經書屋抄本　上海市　上海古籍出版社
近古堂書目　明代書目題跋叢刊影印北京圖書館藏羅振玉輯玉簡齋叢書本　北京市　書目文獻出版社
補遼金元藝文志　（清）倪燦　續修四庫全書影印上海辭書出版社圖書館藏清光緒刻廣雅書局叢書本　上海市　上海古籍出版社

千頃堂書目　（清）黃虞稷撰，瞿鳳起、潘景鄭整理　上海古籍出版社

讀書敏求記　（清）錢曾　四庫全書存目叢書影印重慶圖書館藏清雍正四年趙孟升松雪齋刻本　臺南市　莊嚴出版社

欽定四庫全書總目　（清）紀昀纂　影印清乾隆武英殿刻本　臺北市　臺灣商務印書館

元史藝文志　（清）錢大昕補　續修四庫全書影印上海辭書出版社圖書館藏潛研堂全書本　上海市　上海古籍出版社

小學考　（清）謝啟昆　影印清光緒浙江書局本　上海市　漢語大詞典出版社

愛日精廬藏書志　（清）張金吾　續修四庫全書影印華東師範大學藏清光緒十三年吳縣靈芬閣集字版校印本　上海市　上海古籍出版社

鐵琴銅劍樓藏書目錄　（清）瞿鏞　續修四庫全書影印清光緒常熟瞿氏家塾刻本　上海市　上海古籍出版社

書林清話　葉德輝　民國二十四年長沙中國古書刊印社匯印郎園先生全書本

子部

國清百錄　（隋）沙門灌頂　大正新修大藏經影印大正一切經刊行會排印本　臺北市　影印新修大正藏經委員會

編珠　（隋）杜公瞻撰、（清）高士奇補遺　景印文淵閣四庫全書本　臺北市　臺灣商務印書館

續高僧傳　（唐）釋道宣　大正新修大藏經影印大正一切經刊行會排印本　臺北市　影印新修大正藏經委員會

游宦紀聞　（宋）張世南　叢書集成新編影印清知不足齋叢書本　臺北市　新文豐圖書公司

玉海　（宋）王應麟　中央研究院傅斯年圖書館藏清光緒九年浙江書局重刊本
鼠璞　（宋）戴埴　百部叢書集成影印民國十六年武進陶氏覆宋咸淳左圭百川學海原刻本　臺北市　藝文印書館
履齋示兒編　（宋）孫弈　中華再造善本金元編影印中國國家圖書館藏元劉氏學禮堂刻本　北京市　北京圖書館出版社
學古編　（元）吾衍　百部叢書集成影印明萬曆周履靖輯刊夷門廣牘本　臺北市　藝文印書館
程氏家塾讀書分年日程　（元）程端禮　四部叢刊續編影印常熟瞿氏鐵琴銅劍樓藏元刊本　上海市　商務印書館
新編事文類聚翰墨大全　（元）劉應李編　國家圖書館藏元大德十一年刊巾箱本
法書考　（元）盛熙明　四部叢刊續編影印鈔本　臺北市　臺灣商務印書館
書史會要　（明）陶宗儀　景印文淵閣四庫全書本　臺北市　臺灣商務印書館
永樂大典　（明）解縉等纂　北京市　中華書局
海外新發現永樂大典十七卷　（明）解縉等纂　上海市　上海古籍出版社
疑耀　（明）張萱　景印文淵閣四庫全書本　臺北市　臺灣商務印書館
妮古錄　（明）陳繼儒　四庫全書存目叢書影印清華大學圖書館藏明萬曆繡水沈氏刻寶顏堂祕笈本　臺南市　莊嚴出版社
六藝之一錄　（清）倪濤　影印文淵閣四庫全書本　臺北市　商務印書館
大般若經綱要　（清）葛醴提綱　上海涵芬樓影印日本明治大正間續藏經

純常子枝語　（清）文廷式　續修四庫全書影印民國三十二年刻本　上海市　上海古籍出版社

集部

遺山集　（金）元好問　景印文淵閣四庫全書本　臺北市　臺灣商務印書館

雙溪醉隱集　（元）耶律鑄　景印文淵閣四庫全書本　臺北市　臺灣商務印書館

桐江續集　（元）方回　景印文淵閣四庫全書本　臺北市　臺灣商務印書館

秋澗集　（元）王惲　景印文淵閣四庫全書本　臺北市　臺灣商務印書館

養蒙文集　（元）張伯淳　景印文淵閣四庫全書本　臺北市　臺灣商務印書館

吳文正公集　（元）吳澄　元人文集珍本叢刊影印國家圖書館藏明成化二十年臨川官刊本　臺北市　新文豐出版公司

虞文靖公道園全集　（元）虞集　叢書集成續編影印清古棠書屋叢書本　臺北市　新文豐出版公司

清容居士集　（元）袁桷　四部叢刊初編影印元刊本　臺北市　臺灣商務印書館

此山詩集　（元）周權　景印文淵閣四庫全書本　臺北市　臺灣商務印書館

宋濂全集　（明）宋濂撰　羅月霞主編　杭州市　浙江古籍出版社

誠意伯文集　（明）劉基　四部叢刊初編影印明刊本　臺北市　臺灣商務印書館

王忠文集　(明)王禕　景印文淵閣四庫全書本　臺北市　臺灣商務印書館
御製詩集四集　(清)清高宗　景印文淵閣四庫全書本　臺北市　臺灣商務印書館
存素堂文集續集　(清)法式善　續修四庫全書影印復旦大學圖書館藏清嘉慶十二年程邦瑞揚州刻增修本　上海市　上海古籍出版社
元遺山詩集箋注　(清)施國祁　續修四庫全書影印上海圖書館藏清道光二年南潯瑞松堂蔣氏刻本　上海市　上海古籍出版社
雕菰集　(清)焦循　續修四庫全書影印中國科學院圖書館藏清道光四年阮福嶺南節署刻本　上海市　上海古籍出版社
藝風堂文續集　(清)繆荃孫　續修四庫全書影印中國科學院圖書館藏清宣統二年刻民國二年印本　上海市　上海古籍出版社

二　專書

清代學術概論　梁啟超　上海市　商務印書館　1930年4月(1921)
中國近三百年學術史　梁啟超　臺北市　里仁書局　1995年2月(1929)
圖書寮漢籍善本書目　東京市　宮內省圖書寮　1930年12月
永樂大典考　郭伯恭　長沙市　商務印書館　1938年
廣校讎略　張舜徽　北京市　中華書局　1963年4月
王柏之生平與學術　程元敏　上海市　華東師範大學出版社　2011年3月(1975)
中國文獻學　張舜徽　鄭州市　中州書畫社　1982年12月
藏園群書經眼錄　傅增湘　北京市　中華書局　1983年9月
永樂大典及其輯佚書研究　顧力仁　臺北市　文史哲出版社　1985年9月

藏園群書題記　傅增湘　上海市　上海古籍出版社　1989年6月
四庫全書纂修之研究　吳哲夫　臺北市　國立故宮博物院　1990年6月
中國文獻學新編　洪湛侯　杭州市　杭州大學出版社　1994年5月
纂修四庫全書檔案　中國歷史第一檔案館編　上海市　上海古籍出版社　1997年7月
中國文字學書目考錄　劉志成　成都市　巴蜀書社　1997年8月
永樂大典索引　欒貴明　北京市　作家出版社　1997年10月
中國古籍輯佚學論稿　曹書杰　長春市　東北師範大學出版社　1998年9月
全宋詩　北京大學古文獻研究所編　北京市　北京大學出版社　1998年12月
元史藝文志輯本　雒竹筠遺稿、李新乾編補　北京市　北京燕山出版社　1999年10月
中國歷史文獻學　曾貽芬、崔文印　北京市　學苑出版社　2001年6月
中國目錄學　劉兆祐　臺北市　五南圖書公司　2002年3月第二版
古籍整理學　劉琳、吳洪澤　成都市　四川大學出版社　2003年7月
中國古代典籍十講　胡道靜　上海市　復旦大學出版社　2004年5月
中國古文獻學　孫欽善　北京市　北京大學出版社　2006年5月
古籍整理概論　曹林娣　北京市　北京大學出版社　2007年1月
中國古典文獻學　張三夕主編　武漢市　華中師範大學出版社　2007年2月第二版
日藏漢籍善本書錄　嚴紹璗　北京市　中華書局　2007年3月
文獻學　劉兆祐　臺北市　三民書局　2007年3月
黃永年古籍序跋述論集　黃永年　北京市　中華書局　2007年9月

文獻學概要　杜澤遜　北京市　中華書局　2008年1月第2版
《永樂大典》輯佚述稿　史廣超　鄭州市　中州古籍出版社　2009年9月
永樂大典史論——六百年來的流傳整理與研究　郝艷華　香港　中國古文獻出版社　2009年12月
劉咸炘學術論集．校讎學編　劉咸炘撰，黃曙輝編校　桂林市　廣西師範大學出版社　2010年6月
《永樂大典》流傳與輯佚研究　張昇　北京市　北京師範大學出版社　2010年6月
清代輯佚研究　喻春龍　上海市　上海古籍出版社　2010年6月
新編事文類聚翰墨全書研究　仝建平　銀川市　寧夏人民出版社　2011年6月
清代輯佚研究　郭國慶　北京市　民族出版社　2011年12月
中華再造善本總目提要　中華再造善本工程編纂出版委員會編　北京市　國家圖書館　2013年7月
中國古典文獻學　項楚、羅鷺主編　北京市　中國人民大學出版社　2013年10月
永樂大典小學書輯佚與研究　丁治民　北京市　商務印書館　2015年4月

三　學位論文

元代印人吾衍研究　蔡宗憲　中國文化大學藝術研究所碩士論文　黃緯中、阮常耀指導　2006年6月

四　單篇論文

永樂大典考　孫壯　國立北平圖書館館刊第2卷第3、4合期　頁191-213　1929年3月

永樂大典與大典學　于大成　理選樓論學稿　臺北市　臺灣學生書局　頁395-408　1979年6月

永樂大典卷的寶貴資料——讀純常子枝語劄記　李偉國　文獻1983年第3期　頁92-95　1983年10月

永樂大典嘉隆副本考略　洪湛侯　杭州大學學報第19卷第3期　頁106-113轉頁51　1989年9月

孫吾與及其所著韻書考　鄧強、丁治民　溫州大學學報（社會科學版）第21卷第5期　頁66-70　2008年9月

《韻會定正》聲類考　鄧強　安慶師範學院學報（社會科學版）第28卷第2期　頁46-50　2009年2月

從《韻會定正》論《洪武正韻》的得失——兼論明太祖「中原雅音」的性質　丁治民、趙金文　語言科學第8卷第6期　頁648-659　2009年11月

韻會定正所反映的元末明初江西方音　鄧強　寧夏大學學報（人文社會科學版）第32卷第2期　頁16-20　2010年3月

《永樂大典》所引字書鉤沈——宋婁機《廣干祿字書》　翁敏修　第二十一屆中國文字學國際學術研討會論文集　頁105-120　東吳大學中國文學系　2010年4月

履齋示兒編考述　趙偉含　哈爾濱學院學報第31卷第5期　頁83-86　2010年5月

《永樂大典》所引字書鉤沈——《字溙博義》　翁敏修　漢學研究集刊第11期　頁129-158　2010年12月

論永樂大典的方志輯佚價值——以宋元方志叢刊中輯本為例　鄒帆、胡偉　群文天地2011年第8期　頁3轉頁5　2011年4月
履齋示兒編的學術得失與版本流傳考略　侯體健　圖書館雜誌2011年第8期　頁84-87轉頁112　2011年8月
從韻會定正看元末明初通語韻母的幾項發展　鄧強、朱福妹　語言研究第31卷第4期　頁68-72　2011年10月
三禮館輯錄《永樂大典》經說考　張濤　故宮博物院院刊2011年第6期　頁98-130轉頁162-163　2011年11月
《永樂大典》元代小學類典籍鉤沉　翁敏修　書目季刊第45卷第6期　頁77-92　2012年3月
《永樂大典》所引《二十體篆》研究　連蔚勤、翁敏修　漢學研究集刊第16期　頁89-116　2013年6月
歷代巴蜀學人的文字學研究——以漢、唐宋、明代巴蜀學人為例　李文澤　湖湘論壇2013年第4期　頁53-60　2013年7月
三禮館輯《永樂大典》佚書考　史廣超　蘭臺世界2014年第29期　頁158-159　2014年10月
永樂大典所引小學書三種考略　翁敏修　第二十六屆中國文字學國際學術研討會論文集　聖環圖書公司　頁627-642　2015年5月
新發現的一冊《永樂大典》述略　楊琳　尋根2015年第3期　頁99-102　2015年5月

五　報紙

《永樂大典》一冊孤本邂逅民間　薛帥　中國文化報2014年8月13日第2版

參考文獻：知見書目

一 專書

四庫輯本別集拾遺　欒貴明　北京市　中華書局　1983年10月
永樂大典史話　張忱石　北京市　國家圖書館出版社　2014年12月（1986）
四庫全書纂修研究　黃愛平　北京市　中國人民大學出版社　1989年1月
校讎目錄學纂要　蔣伯潛　北京市　北京大學出版社　1990年5月
文字學簡編——基礎篇　許錟輝　臺北市　萬卷樓圖書有限公司　1999年3月
永樂大典編纂600周年國際研討會論文集　中國國家圖書館編　北京市　北京圖書館出版社　2003年7月
《永樂大典》本《禪林類聚》校錄　林世田編校　北京市　全國圖書館文獻縮微複製中心　2003年8月
宋代佚著輯考　王河、真理整理　南昌市　江西人民出版社　2003年10月
宋元明六書學研究　黨懷興　北京市　中國社會科學出版社　2003年12月
永樂大典方志輯佚　馬蓉等點校　北京市　中華書局　2004年4月
干祿字書字類研究　劉中富　濟南市　齊魯書社　2004年12月

《永樂大典》研究資料輯刊　張昇　北京市　北京圖書館出版社　2005年7月
宋代文獻學研究　張富祥　上海市　上海古籍出版社　2006年3月
明清宮廷藏書研究　張昇　北京市　商務印書館　2006年12月
漢語韻書史明代卷　寧忌浮　上海市　上海人民出版社　2009年11月
永樂大典醫書輯本　王瑞祥　北京市　中醫古籍出版社　2010年9月
《永樂大典》徽州方志研究　蒲霞　合肥市　安徽大學出版社　2013年3月

二　學位論文

清代輯佚學　陳惠美　文化大學中研所博士論文　劉兆祐指導　2004年12月
清人的唐代文獻輯佚研究　張健　吉林大學碩士論文　張固也指導　2007年4月
宋代「小學」文獻考略　李洪華　山東大學博士論文　劉曉東指導　2008年12月
民國輯佚學研究　臧其猛　安徽大學博士論文　張子俠指導　2009年5月
吾衍與其《學古編》之研究　野田悟　中國美術學院博士論文　祝遂之指導　2009年6月
晚明學者的經學輯佚活動　陳亦伶　臺北大學古典文獻學研究所碩士論文　林慶彰指導　2009年6月
《永樂大典》本江蘇佚志研究　崔偉　安徽大學博士論文　王鑫義指導　2010年5月
《永樂大典》所存《字濙博義》音切考　李曼　溫州大學碩士論文　丁治民指導　2010年5月

《洪武正韻箋》「古音」研究　謝王娟　福建師範大學碩士論文　王進安指導　2012年6月

宋王炎《尚書小傳》輯佚及其研究　蘇文媚　高雄師範大學經學研究所碩士論文　蔡根祥指導　2014年7月

三　單篇論文

永樂大典述略　昌彼得　大陸雜誌第6卷第3期　頁18-20　1953年4月

永樂大典鉤沉錄　宋海屏　文史論叢　臺北市　新文豐出版公司　頁1-14　1978年5月

《永樂大典》的編纂及其價值　王重民　社會科學戰線1980年第2期　頁336-342　1980年第4期

保存文化遺產的工作之1：輯佚與輯佚書　顧力仁　中華文化復興月刊第16卷第3期　頁67　1983年3月

輯佚學的起源，發展和工作要點　陳光貽　史學史研究1983年第1期　頁75-79　1983年3月

民國以來的四庫學　劉兆祐　漢學研究通訊第2卷第3期　頁146-151　1983年7月

《永樂大典》聚散考　蘇振申　中國圖書文獻學論集　臺北市　明文書局　頁592-615　1986年11月

《永樂大典》中南宋詩人姓名考異九則　費君清　文獻1988年第4期　頁281-284　1988年12月

《四庫全書》輯佚成就述評　李春光　社會科學輯刊1991年第4期　頁85-89　1991年8月

略論《永樂大典》的古典目錄學價值　羅益群　高校圖書館工作1992年第1期　頁27-29　1992年4月

從四庫編纂看清代輯佚學的發展　魯夫　河南圖書館學刊1992年第2期　頁26-28　1992年7月

《四庫全書》與清代輯佚　王世學　中國圖書館學報1993年第3期　頁76-78轉頁83　1993年7月

論清代輯佚興盛的原因　張昇　古籍整理研究學刊1994年第5期　頁28-30　1994年9月

論清儒輯佚　葉樹聲　淮北煤師院學報哲學（社會科學版）1995年第1期　頁140-146　1995年2月

《永樂大典》概說　崔文印　史學史研究1995年第3期　頁72-79　1995年8月

輯佚工作展望　喬衍琯　國家圖書館館刊87年第1期　頁43-51　1998年6月

清代輯佚學的成就　蘇秀錦　重高學報第2期　頁85-101　1999年6月

清代輯佚研究述略　李涵　圖書館雜誌2000年第4期　頁58-60轉頁42　2000年4月

永樂大典本《寒山詩集》論考　鍾仕倫　四川大學學報（哲學社會科學版）2000年第5期　頁113-118　2000年9月

《永樂大典》所存宋人劉斧小說集佚文輯考　趙維國　文獻2001年第2期　頁89-103　2001年4月

中國輯佚學研究百年　曹書杰　東南學術2001年第5期　頁98-107　2001年9月

安仁（余江）倪鏜其人、其族、其事考述　李勁松　江西社會科學2001年第11期　頁67-69　2001年11月

趙萬里與《永樂大典》　張志清　中國文物報第5版　2002年5月10日

家族興衰與社會網絡：以宋代的四明高氏家族為例　黃寬重　宋代墓誌史料的文本分析與實證運用國際學術研討會　東吳大學歷史學系　2003年10月

元初儒學忠實門徒倪鏜及其錦江書院　李才棟　中國書院研究　南昌市　江西高校出版社　頁137-139　2005年4月
論清代乾隆時期的輯佚書活動　高長青　甘肅高師學報第10卷第3期　頁106-109　2005年6月
全祖望與《永樂大典》的利用及其影響　林存陽　浙東學術與中國實學——浙東學派與中國實學研討會論文集　頁381-403　2005年10月
有關《永樂大典》幾個問題的辨證　虞萬里　史林2005年第6期　頁21-36轉頁123　2005年12月
巨細精粗燦然明備——也說《永樂大典》　沈津　書城風弦錄：沈津學術筆記　桂林市　廣西師範大學出版社　頁20-23　2006年10月
讀《洪武正韻箋》　寧忌浮　傳統中國研究集刊第1輯　頁383-395　2006年12月
傅增湘與《永樂大典》　謝冬榮　四川圖書館學報2007年第1期　頁67-70　2007年2月
《永樂大典目錄》研究　史廣超　大學圖書情報學刊第26卷第3期　頁86-88　2008年6月
周永年輯佚和校勘《永樂大典》　張學軍　蘭台世界2008年第8期　頁64　2008年8月
梁啟超在輯佚學理論方面的成就　臧其猛　巢湖學院學報第10卷第5期　頁135-138　2008年9月
清代輯佚學研究綜述　胡喜云、王磊　圖書與情報2009年第1期　頁136-140　2009年1月
九疊篆的來龍去脈　陸錫興　南方文物2009年第1期　頁143-148轉頁134　2009年2月
四庫館《永樂大典》缺卷考　史廣超　圖書館理論與實踐2009年第4期　頁38-40　2009年4月

論張舜徽先生的輯佚學思想　臧其猛　大學圖書情報學刊第27卷第2期　頁82-85　2009年4月

《永樂大典》所引孫愐《唐韻》輯考——兼論《大宋重修廣韻》所據孫愐《唐韻》的寫本　丁治民　語言研究第30卷第2期　頁33-37　2010年4月

經書輯佚學研究回顧與展望（1900-2008A.D）　陳亦伶　經學研究集刊第8期　頁75-120　2010年4月

輯佚致誤原因之探討——以清人輯佚書為例　陳惠美　樹人學報第8期　頁145-160　2010年7月

《韻會定正》的韻類特點——兼與《古今韻會舉要》和《洪武正韻》比較　鄧強　西南交通大學學報（社會科學版）第11卷第5期　頁26-32轉頁64　2010年10月

《永樂大典》久未人知的《輿地紀勝》4800字佚文考　陳萍、王繼宗　圖書館雜誌2011年第1期　頁80-82　2011年1月

新發現集篆寫本：姚敦臨《二十體篆》　丁治民　書畫學術學刊第10期　頁1-13　2011年6月

清代四庫館臣的輯佚成就　李慧慧　廊坊師範學院學報（社會科學版）第27卷第5期　頁72-76　2011年10月

三禮館《永樂大典》輯錄稿的發現、定名及其來歷　張濤　北京市國家圖書館出版社　文津學誌第四輯　頁87-95　2011年11月

上海圖書館藏《紫雲先生增修校正押韻釋疑》的版本及學術價值　李子君　古籍整理研究學刊2012年第4期　頁24-29　2012年7月

四庫館臣輯佚宋人筆記的成就——以輯佚《永樂大典》所載宋人筆記為例　趙龍　圖書館理論與實踐2012年第9期　頁45-48轉頁66　2012年9月

1979-2012年國內《永樂大典》研究述略　代洪波　山東圖書館學刊2013年第1期　頁98-100轉頁105　2013年2月

《泰山雅詠》：——《永樂大典》中的泰山佚書　周郢　古籍整理研究學刊2013年第6期　頁52-57　2013年11月

宋代天臺宗僧詩輯佚77首　張艮　古籍整理研究學刊2014年第6期　頁32-37　2014年11月

《永樂大典》同一種辭書間單字的排列原則　趙金文　內蒙古民族大學學報（社會科學版）第40卷第6期　頁37-40　2014年11月

《永樂大典》所錄《文選》考釋　鍾仕倫　銅仁學院學報第17卷第5期　頁4-18　2015年9月

《字潫博義》及其失誤記略　丁治民、饒玲　寧波大學學報（人文科學版）第29卷第1期　頁39-44　2016年1月

附錄一
《永樂大典》所引小學書材料來源表

說明

本表收錄本書第二章、第三章《永樂大典》所引小學書之輯佚來源，以利研究者查考。表列方式以終字為例：

卷數字頭	四聲韻目	引用典籍
卷 489.1A 終	平聲一東	潒韻切二五

首欄「卷數字頭」，說明材料所屬《大典》之卷數、頁碼與字頭
次欄「四聲韻目」，說明材料所屬《大典》之四聲
末欄「引用典籍」，依《大典》徵引次序說明輯得小學書之書名（簡稱）

書名全稱簡稱之對照

字書

《廣干祿字書》	廣
《二十體篆》	二
《存古正字》	存
《六書類釋》	六
《說文續解》	續

《隸韻》　　隸
《字滐博義》　　滐

韻書

《精明韻》　　精
《五書韻總》　　五
《經史字源韻略》　　經
《正字韻綱》　　正
《韻會定正》　　韻
《韻會定正字切》　　切
《廣韻總》　　總

卷數字頭	四聲韻目	引用典籍
卷 489.1A 終	平聲一東	滐韻切二五
卷 490.17B 螽		切
卷 490.21A 衆		滐切
卷 490.22A 霥		切
卷 540.1A 頌		六二五
卷 540.2A 溶		廣切
卷 540.2B 蓉		滐切
卷 541.1A 庸		存切五
卷 661.1A 雝		存切五
卷 661.12B 灉		廣切
卷 662.1A 廱		六韻切
卷 662.22A 饔		廣切

卷數字頭	四聲韻目	引用典籍
卷 662.23B 壅		廣切
卷 662.24A 癰		切
卷 662.28B 貗		溹
卷 662.30A 悺		溹
卷 662.30A 甇		溹
卷 662.30A 甹		溹
卷 909.25A 郛	平聲二支	經切
卷 910.1A 尸		六存溹切
卷 913.1A 屍		溹韻切五
卷 2217.1A 滬	平聲六模	韻切
卷 2254.1A 壺		溹切五
卷 2259.1A 瓠		廣韻切
卷 2259.10A 瑚		溹切
卷 2259.14A 餬		溹切
卷 2259.14B 醐		切
卷 2259.15B 弧		切
卷 2259.17A 葫		溹切
卷 2260.1A 湖		溹韻切
卷 2337.1A 梧		廣切
卷 2344.9B 部		溹切
卷 2344.10A 齬		廣切
卷 2344.10B 浯		切
卷 2344.11B 甋		溹
卷 2344.11B 鯃		溹
卷 2344.11B 蜈		廣

卷數字頭	四聲韻目	引用典籍
卷 2344.12A 祦		溱
卷 2344.12B 俉		溱
卷 2344.13A 瘖		溱
卷 2344.13A 鋙		溱
卷 2344.13A 麤		廣溱切
卷 2344.15A 粗		存
卷 2344.16A 皶		溱
卷 2345.1A 烏		存正韻切五
卷 2347.9B 惡		溱韻切
卷 2347.9B 洿		廣六韻切
卷 2347.12A 杇		廣切
卷 2347.13B 於		廣正存溱切
卷 2347.15B 嗚		韻切
卷 2347.16A 螐		溱
卷 2347.17B 鄔		溱
卷 2347.17B 鰞		溱
卷 2347.17B 趨		溱
卷 2347.18A 碼		溱
卷 2405.9B 穌		切
卷 2405.10A 蘇		溱切
卷 2405.10A 酥		廣六韻切
卷 2405.15B 蘓		溱
卷 2405.15B 蘇		溱
卷 2405.16A 蘷		溱
卷 2405.16A 簌		溱

卷數字頭	四聲韻目	引用典籍
卷 2406.1A 初		切五
卷 2406.14B 芻		精切
卷 2407.1A 蔬		切
卷 2407.12B 梳		切
卷 2408.1A 踈		滲五
卷 2408.1A 疏		廣存滲切
卷 2408.12B 綀		滲切
卷 2408.13B 蘇		切
卷 2408.14A 疋		六切
卷 2408.14A 齪		六
卷 2408.14B 朖		滲
卷 2755.18A 羆	平聲八灰	切五
卷 2755.20A 蘢		滲切
卷 2755.20B 篦		滲
卷 2755.20B 詖		滲
卷 2806.1A 卑		存切五
卷 2806.25A 裨		滲切
卷 2806.26A 錍		廣正切
卷 2806.26B 椑		六切
卷 2806.27A 埤		滲
卷 2806.27A 箄		滲切
卷 2806.28A 顐		滲
卷 2806.28B 睥		滲
卷 2806.29A 牌		滲
卷 2806.29B 鵯		滲

卷數字頭	四聲韻目	引用典籍
卷 2806.30A 俾		溱
卷 2806.30A 萆		溱
卷 2806.31B 彼		溱
卷 2806.31B 鵧		溱
卷 2807.1A 丕		廣切五
卷 2807.2B 肧		溱切
卷 2807.2B 衃		切
卷 2807.3A 坏		廣韻切
卷 2807.4A 醅		切
卷 2807.5A 伾		溱韻切
卷 2807.5B 秠		溱韻切
卷 2807.6A 駓		切
卷 2807.6B 豾		切
卷 2807.6B 鉟		溱切
卷 2807.7A 銔		六
卷 2807.7A 怌		切
卷 2807.7A 狉		切
卷 2807.7B 邳		切
卷 2807.12A 岯		廣溱切
卷 2807.12B 披		廣切
卷 2807.13B 被		切
卷 2807.13B 翍		切
卷 2807.14A 破		正溱切
卷 2807.14A 旇		溱切
卷 2807.14B 耚		溱切

卷數字頭	四聲韻目	引用典籍
卷 2807.15A 錍		溱
卷 2807.16B 髼		溱
卷 2807.17A 剫		溱
卷 2807.17B �万		溱
卷 2807.17B 啡		溱
卷 2807.18A 婄		溱
卷 2807.18B 垺		溱
卷 2807.18B 㒯		溱
卷 2807.19A 罷		溱
卷 2807.20A 陚		溱
卷 2807.20A 刮		溱
卷 2807.20A 枚		存韻切
卷 2808.1A 梅		廣六溱切
卷 2955.25B 魋	平聲九真	溱
卷 3579.1A 村		切
卷 3582.1A 尊		廣切二
卷 3585.18A 鷷		切
卷 3586.1A 遵		溱切五
卷 3586.2A 僎		切
卷 3586.2B 跧		溱
卷 3586.3A [illegible]		溱
卷 3586.3A 噋		切
卷 3586.3B 啍		切
卷 3586.3B 焞		正切
卷 3586.4B 蟦		切

卷數字頭	四聲韻目	引用典籍
卷 3586.5A 吞		切
卷 3586.6A 涒		切
卷 3586.6A 陌		溱
卷 3586.6B 臌		溱
卷 3586.6B 黗		溱
卷 3586.7A 屯		切
卷 3587.25A 純		切
卷 3587.25B 忳		切
卷 3587.25B 軘		切
卷 3587.25B 庉		切
卷 4908.1A 煙	平聲十二先	溱切五
卷 4908.10B 燕		廣切
卷 5244.1A 遼		切五
卷 5268.1A �	平聲十三蕭	溱切
卷 5268.1B 枖		溱韻切
卷 5268.2A 夭		廣韻切
卷 5268.9B 褄		溱韻切
卷 5268.10A 螻		溱
卷 5268.10A 皀		溱
卷 5268.10B 訞		韻切
卷 5268.11A 吆		溱
卷 5268.11A 宫		溱
卷 5268.11B 耾		溱
卷 5268.11B 頌		溱
卷 5268.11B 樓		溱

卷數字頭	四聲韻目	引用典籍
卷 5268.12A 鵁		湊
卷 5268.12A 餮		湊
卷 5268.12B 橇		切
卷 5268.13A 趫		切
卷 5268.13B 蹻		切
卷 5268.33B 驕		切
卷 5268.33B 敿		湊
卷 5268.34A 顤		湊
卷 5268.34A 趬		湊
卷 5268.34B 蟜		湊
卷 5268.35A 墽		湊
卷 5268.35A 撬		湊
卷 5268.35B 僑		湊
卷 5268.35B 喬		湊
卷 5268.36A 鍫		正切
卷 5268.36B 幧		切
卷 5268.37A 柬		湊
卷 5268.37B 鄵		湊
卷 5268.37B 摻		湊
卷 5268.38A 摝		湊
卷 6523.1A 妝	平聲十八陽	廣六切
卷 6523.7B 裝		湊切
卷 6524.1A 椿		精湊切
卷 7506.1A 倉		六湊切五
卷 7518.19A 蒼		廣韻切

卷數字頭	四聲韻目	引用典籍
卷 7518.22B 滄		切五
卷 7518.24B 鶬		精六正切
卷 7518.25A 匼		篆
卷 7518.25A 篬		篆
卷 7518.25B 滄		篆
卷 7518.25B 犬倉		篆
卷 7518.26A 傖		篆
卷 7756.1A 形	平聲十九庚	廣韻切
卷 7757.30A 侀		韻切
卷 7889.1A 汀		廣篆切五
卷 7895.17A 鞓		篆切
卷 7895.17B 朾		篆切
卷 7895.18A 芊		篆
卷 7895.18B 豣		篆
卷 7895.18B 町		篆
卷 7895.19A 耓		篆
卷 7895.19A 骬		篆
卷 7895.19A 艇		篆
卷 7895.19B 耵		篆
卷 7960.1A 馨		篆切
卷 7960.5A 興		廣存正篆切二五
卷 8021.18B 烝		六韻切
卷 8021.22B 脀		韻切
卷 8021.23B 征		篆
卷 8021.24B 徑		篆

卷數字頭	四聲韻目	引用典籍
卷 8021.24B 於		溱
卷 8021.25A 𣏾		韻切
卷 8021.26B 瘀		溱
卷 8022.1A 成		六切二
卷 8275.1A 兵		存溱切二五
卷 8526.1A 精		六正溱韻切二五
卷 8706.1A 僧		韻切
卷 8841.1A 油	平聲二十尤	溱韻切
卷 8841.14B 蕕		切
卷 8841.16A 抌		溱切
卷 8841.16B 蕍		切
卷 8841.16B 楰		韻切
卷 8841.17A 逌		溱五
卷 8841.17B 鰌		切
卷 8841.17B 斿		廣切
卷 8842.1A 游		廣存切
卷 8844.1A 遊		切
卷 9762.1A 諴	平聲二十二覃	切
卷 9762.1A 鹹		廣溱切五
卷 9762.2B 函		溱切
卷 9762.10B 涵		六切
卷 9762.11A 鋡		溱切
卷 9762.11B 銜		精六切
卷 9762.15A 嗛		正切
卷 9762.15B 蕑		溱

卷數字頭	四聲韻目	引用典籍
卷 9762.16A 㟔		正切
卷 9762.16A 㺌		溱
卷 9762.16B 溓		溱
卷 9762.16B 鳽		溱
卷 9763.1A 嵒		六切
卷 9763.1B 碞		精溱韻切
卷 9763.2A 巖		溱韻切
卷 10112.1A 只	上聲二紙	正韻切
卷 10112.1B 咫		溱切
卷 10112.2A 扺		溱切
卷 10112.2B 抵		切
卷 10112.2B 砥		廣韻切
卷 10112.4B 底		溱
卷 10112.4B 厎		廣經存正切
卷 10112.5B 坻		溱韻切
卷 10112.5B 枳		切
卷 10112.12B 軹		韻切
卷 10112.14B 疻		溱切
卷 10309.1A 死		切二
卷 10876.1A 虜	上聲六姥	切五
卷 10877.13A 鹵		廣六存切
卷 10877.14B 滷		溱
卷 10877.15A 櫓		切
卷 10877.18B 艣		切
卷 10877.19A 謯		韻切

卷數字頭	四聲韻目	引用典籍
卷 10877.20B 桴		滚
卷 10877.20B 鬚		滚
卷 11076.1A 蜼	上聲八賄	廣
卷 11076.4A 蕾		韻切
卷 11076.4B 膃		滚
卷 11076.4B 瘤		滚
卷 11076.5A 郲		滚
卷 11076.5A 頼		滚
卷 11076.5B 腂		滚
卷 11076.5B 雷		滚
卷 11076.6A 畾		滚
卷 11076.6A 瓾		滚
卷 11076.7A 魁		滚
卷 11076.7A 磈		滚切
卷 11076.7B 傀		滚韻切
卷 11076.7B 巋		切
卷 11076.8A 蘬		韻切
卷 11076.8B 顝		切
卷 11076.8B 頧		滚
卷 11076.9A 輠		滚
卷 11076.9A 僱		滚
卷 11076.9B 虺		滚
卷 11076.10A 頽		滚
卷 11076.10B 蜼		滚
卷 11076.10B 餧		廣切

卷數字頭	四聲韻目	引用典籍
卷 11076.11A 餧		溙
卷 11076.12B 腇		切
卷 11076.13A 婑		溙
卷 11076.13B 錗		溙
卷 11076.13B 㞂		溙
卷 11076.13B 捶		切
卷 11076.16A 箠		切
卷 11076.18A 錘		溙切
卷 11076.18B 𣏽		續
卷 11076.19A 䶐		溙
卷 11076.19A 揣		經
卷 11076.19B 尯		溙
卷 11076.19B 腄		溙
卷 11076.20A 鍉		溙
卷 11077.1A 絫		存切
卷 11077.1A 蘂		溙切
卷 11077.9A 菙		切
卷 11077.10A 媸		溙
卷 11077.10A 伹		溙
卷 11077.10A 𠞋		溙
卷 11077.10B 捶		經
卷 11077.10B 箠		經溙
卷 11077.10B 𥝕		溙
卷 11077.11A 髓		切
卷 11077.19A 瀡		切

卷數字頭	四聲韻目	引用典籍
卷 11077.19A 蘿		滚切
卷 11077.19B 䨻		韻切
卷 11077.19B 雟		滚韻切
卷 11077.21A 膸		滚
卷 11077.22A 觜		切
卷 11077.25B 摧		滚
卷 11077.25B 䧽		滚
卷 11077.25B 嗺		切
卷 11077.26A 臎		滚
卷 11077.26B 蓌		滚
卷 11077.26B 嗺		滚
卷 11077.27A 㗶		滚
卷 11077.27B 趡		滚切
卷 11077.28A 髽		滚
卷 11077.28A 跬		切
卷 11077.29A 頍		韻切
卷 11077.29A 頯		滚切
卷 11077.29B 䟅		滚
卷 11077.29B 烓		滚
卷 11077.29B 扠		滚
卷 11313.20B 痯	上聲十罕	廣經切
卷 11313.20B 斡		廣切
卷 11313.21A 悺		廣切
卷 11313.22B 鄙		滚
卷 11602.1A 藻	上聲十四巧	廣韻切

卷數字頭	四聲韻目	引用典籍
卷 11615.1A 老		溙切五六
卷 11903.1A 廣	上聲十八養	韻切二
卷 11951.1A 頂	上聲十九梗	溙韻切五
卷 11956.1A 鼎		續廣韻切五
卷 12015.1A 友	上聲二十有	切二
卷 12148.1A 瞍		韻切
卷 12148.1B 藪		廣六正韻
卷 12148.6A 籔		正
卷 12148.7A 棷		溙
卷 12148.7A 嗾		廣精切
卷 12148.7B 蔌		廣
卷 12148.8B 諑		溙
卷 12148.9A 誳		溙
卷 12148.9B 趣		廣正溙切
卷 12148.9B 取		經
卷 12148.10B 趣		溙
卷 12148.10B 娵		溙
卷 12148.10B 剶		溙
卷 12148.10B 鬫		溙
卷 12148.11A 走		精正溙韻切
卷 13082.1A 動	去聲一送	廣切五
卷 13083.1A 慟		切
卷 13083.3A 迵		六溙
卷 13083.4A 挏		切
卷 13083.4B 侗		溙

卷數字頭	四聲韻目	引用典籍
卷 13083.4B 霘		潒
卷 13083.4B 憧		潒
卷 13083.5A 侗		潒
卷 13083.5A 弄		潒切
卷 13083.7B 哢		切
卷 13083.7B 梇		切
卷 13083.8B 襱		潒
卷 13083.9A 驡		潒
卷 13083.9A 瘲		潒
卷 13084.1A 闀		六存切五
卷 13084.2A 浲		韻切
卷 13084.2B 横		韻切
卷 13084.19B 啄		潒
卷 13084.19B 烘		切
卷 13084.20B 硿		潒
卷 13084.20B 控		正切
卷 13084.21B 鞚		切
卷 13084.22B 悾		潒
卷 13084.23A 空		切
卷 13084.23A 倥		潒切
卷 13084.23A 誇		潒
卷 13084.23B 䠼		切
卷 13084.23B 倕		正潒切
卷 13084.24A 羫		潒
卷 13084.24A 腔		潒

卷數字頭	四聲韻目	引用典籍
卷 13084.24B 矼		溙
卷 13194.1A 中		切
卷 13194.5B 衷		切
卷 13194.6A 種		存正溙韻切
卷 13194.25B 甀		溙
卷 13194.25B 湩		切
卷 13194.26A 諥		溙
卷 13194.26B 妕		溙
卷 13340.14A 寺	去聲二寘	廣經存溙隸
卷 13340.18A 蒔		六正切
卷 13341.1A 豉		廣切
卷 13341.10A 嗜		廣切
卷 13345.1A 謚		續切
卷 13495.1A 緻		溙切
卷 13495.1A 致		溙韻切
卷 13495.18A 置		切
卷 13496.1A 制		續正總溙切二
卷 13872.1A 賁	去聲三未	正溙切五
卷 13876.12B 凲		六溙
卷 13876.13A 賕		切
卷 13877.1A 痹		切
卷 13880.8B 妛		溙
卷 13880.8B �		溙
卷 13880.9B 秘		溙
卷 13880.10A 痖		溙

卷數字頭	四聲韻目	引用典籍
卷 13880.10B 皕		滐
卷 13880.10B 波		切
卷 13880.11A 㲘		滐
卷 13880.11A 綼		滐
卷 13880.11A 柴		滐
卷 13880.12B 婎		滐
卷 13992.1A 憙		廣經
卷 13992.1B 嬉		滐切
卷 13992.1B 欷		滐
卷 13992.1B 唏		滐
卷 13992.2A 餼		六切
卷 13992.7A 既		五
卷 13992.7B 㲹		滐切
卷 13992.7B 愾		五
卷 13992.8A 熂		切
卷 13992.8A 虋		廣正
卷 13992.8B 摡		廣滐
卷 13992.8B 塈		切
卷 13992.9B 隸		切
卷 13992.9B 咥		滐韻切
卷 13992.10A 屭		切
卷 13992.10B 䔇		滐切
卷 13992.11A 呬		滐六
卷 13992.12A 餼		滐
卷 13992.12B 艥		滐

卷數字頭	四聲韻目	引用典籍
卷 13992.12B 慼		五
卷 13992.13A 嫛		續
卷 13992.13A 呬		溙
卷 13992.13B 嚌		溙
卷 13992.13B 槩		五
卷 13992.13B 嘻噫		溙
卷 13992.14A 誺		溙
卷 13992.14A 痛		溙
卷 13992.14A 孩		溙
卷 13992.14A 攕		溙
卷 13992.14B 媫		溙
卷 13992.14B 怹		溙
卷 13992.14B 佪		正
卷 13992.14B 韒		溙
卷 13992.15A 慖		溙
卷 13992.15A �		溙
卷 13992.15B 欸		溙
卷 13992.15B 尳		溙
卷 13993.1A 系		廣溙切
卷 13993.10A 繫		經切
卷 13993.11A 係		切
卷 13993.12A 禊		溙切
卷 13993.20B 榽		溙
卷 13993.20B 嫨		溙
卷 13993.20B 磎		溙

卷數字頭	四聲韻目	引用典籍
卷 13993.21B 𠟏		溙
卷 14124.1A 嚏	去聲四霽	廣韻切
卷 14124.2A 疐		切
卷 14124.3A 泜		溙
卷 14124.3A 締		切
卷 14124.4A 蔕		廣六切
卷 14124.5A 螮		韻切
卷 14124.5B 揥		溙
卷 14124.5B 趆		溙
卷 14124.6A 遞		溙
卷 14124.6B 骶		溙
卷 14124.7A 跮		溙
卷 14124.7A 蝭		溙
卷 14124.7A 渧		溙
卷 14124.7A 媞		溙
卷 14124.7B 胝		溙
卷 14124.7B 瘏		溙
卷 14124.8A 摕		溙
卷 14124.8A 媂		溙
卷 14124.8A 厎		溙
卷 14124.8A 僀		溙
卷 14124.8B 鯑		溙
卷 14124.9A 呧		溙
卷 14124.9B 替		切
卷 14125.1A 鬀		廣切

卷數字頭	四聲韻目	引用典籍
卷 14125.18A 㣥		溱韻切
卷 14125.18B 涕		溱切
卷 14125.26A禘		廣切
卷 14125.27A 薙		正切
卷 14125.27A 殢		溱切
卷 14125.27B 屜		切
卷 14125.28A 轍		溱
卷 14125.28A 㣥		溱
卷 14125.30A 潳		溱
卷 14384.1A 冀		精溱切
卷 14464.21B 語	去聲五御	切二
卷 14536.1A 樹		切
卷 14544.1A 處		廣精切
卷 14544.28A 絮		韻切五
卷 14544.28B 悇		溱
卷 14544.28B 楚		溱
卷 14545.1A 著		廣切二
卷 14545.21B 翥		切
卷 14574.1A 鋪	去聲六暮	溱切
卷 14576.13B 誧		切
卷 14912.1A 鬴		廣存切六
卷 14912.3B 釜		溱
卷 14912.10A 滏		切
卷 14912.10A 輔		溱韻切
卷 15073.1A 誡	去聲七泰	溱切

卷數字頭	四聲韻目	引用典籍
卷 15075.1A 悈		切
卷 15075.1A 介		廣正溙韻切五
卷 15075.20A 价		溙韻切
卷 15140.1A 隊	去聲八隊	切
卷 15140.11A 兑		韻切
卷 15143.18B 駾		韻切
卷 15143.19A 霨		切
卷 15143.19A 蔚		切
卷 15143.19B 慰		廣切五
卷 15143.20A 錞		正
卷 15143.20B 鐓		溙韻切
卷 15143.22B 剈		正切
卷 15143.23A 奪		溙切
卷 15143.23A 鞔		正溙切
卷 15143.23A 鋭		溙切五
卷 15143.23B 黲		六
卷 15143.24A 颭		溙
卷 15143.24A 嶵		溙
卷 15143.24B 崔		溙
卷 15143.24B 蓶		溙
卷 15143.25A 峣		溙
卷 15143.25A 粖		溙
卷 15143.25A 鑓		溙
卷 15143.25B 隧		溙
卷 15143.25B 𩄇		溙

卷數字頭	四聲韻目	引用典籍
卷 15143.26A 瘄		溹
卷 19416.1A 蘸	去聲二十二勘	切
卷 19416.1A 鮎		溹
卷 19416.1B 霑		溹
卷 19416.1B 站		溹
卷 19426.11B 獑		溹
卷 19426.11B 蘸		溹
卷 19426.12A 賺		切
卷 19426.12A 湛		溹切
卷 19426.14B 讒		溹
卷 19426.15A 鑱		溹韻切
卷 19426.15A 韉		經
卷 19426.15A 甋		溹
卷 19426.15B 詀		溹切
卷 19426.15B 艬		溹
卷 19426.16A 饞		溹
卷 19426.16A 躔		溹
卷 19426.16A 涔		溹
卷 19426.16B 隵		溹
卷 19426.16B 攙		溹
卷 19426.17A 巉		溹
卷 19426.17A 擶		溹
卷 19426.17B 釤		韻切
卷 19636.1A 沐	入聲一屋	廣存切
卷 19636.11A 霂		切

卷數字頭	四聲韻目	引用典籍
卷 19636.11A 罜		切
卷 19636.11B 粶		切
卷 19636.11B 鶩		正切
卷 19636.14A 蚞		切
卷 19636.14B 目		滚切五
卷 19743.2B 睩		韻切
卷 19743.3A 角		廣六存韻切
卷 19743.4B 摝		六滚切
卷 19743.4B 騼		切
卷 19743.5A 彔		續
卷 19743.5B 逯		滚韻切
卷 19743.7A 鱳		滚
卷 19743.8A 椂		滚
卷 19743.9A 蟓		滚
卷 19743.9A 濼		六
卷 19743.10A 諑		滚
卷 19743.10A 豩		滚
卷 19743.10A 禠		滚
卷 19743.10B 豗		滚
卷 19743.11A 塶		滚
卷 19743.11A 祿		滚
卷 19743.11B 膔		滚
卷 19743.11B 蔍		滚
卷 19743.13A 趢		滚
卷 19743.14A 甪		滚

卷數字頭	四聲韻目	引用典籍
卷 19743.14A 莽		湊
卷 19782.22B 踻		湊切
卷 19782.22B 𩞁		湊
卷 19782.23A 耩		湊
卷 19782.23B 䵶		湊
卷 19782.23B 偘		湊
卷 19782.24A 騙		湊
卷 19782.24A 拱		湊
卷 19782.24A 寣		湊
卷 19782.24A 鶻		湊
卷 19782.24B 菉		湊
卷 19782.25B 棣		湊
卷 1978225B 㞾		湊
卷 19782.25B 䴞		湊
卷 19783.1A 伏		正湊韻切
卷 19784.25A 慮		切五六
卷 19785.1A 服		六湊韻切二五
卷 19865.1A 竹		湊切
卷 20309.19B 壹	入聲二質	湊二
卷 20309.21A 乙		韻切
卷 20309.26A 鳦		廣韻切
卷 20309.26B 嬄		湊
卷 20309.26B 壹L		湊
卷 20309.27A 叱		湊
卷 20309.27B 㚸		湊

卷數字頭	四聲韻目	引用典籍
卷 20310.1A 疾		切
卷 20353.24A 蒚		切
卷 20354.1A 夕		存
卷 20478.1A 職		湊韻切二
卷 20850.1A 檄		韻切
卷 22180.1A 陌	入聲八陌	六湊韻切
卷 22180.7A 佰		湊切
卷 22180.7B 貊		廣湊韻切
卷 22180.8B 貉		廣
卷 22180.9B 莫		湊韻切
卷 22180.10A 駋		切
卷 22180.10A 貘		切
卷 22180.11B 驀		切
卷 22180.11B 百		精切
卷 22181.1A 麥		廣切五

附錄二

《永樂大典》所引小學書一覽表

說明

本表為《永樂大典》字頭下所引用之小學書細目，以顧力仁《永樂大典及其輯佚書研究》第五章所考為基礎，續加採輯而成。所得訓詁類4種、字書類32種、韻書類23種，共計59種（今日尚存43種、殘闕16種），並附已收入《四庫全書》正編及存目之「永樂大典本」小學書4種，表列方式如下：

首欄說明《大典》引用書名與今日習見書名
次欄說明典籍存佚情形
末欄說明現存重要版本以及備註

大典引用書名 習見書名	存佚情形	現存重要版本／備註
爾雅	存	《四部叢刊》影印常熟鐵琴銅劍樓瞿氏宋刊本
小爾雅	存	《四庫全書存目叢書》影印北京圖書館藏明嘉靖顧氏夷白齋刻顧氏文房小說本
方言	存	《四部叢刊》影印江安傅氏雙鑑樓宋刊本
劉熙釋名 釋名	存	《四部叢刊》影印江南圖書館藏明嘉靖翻宋本
許慎說文 說文解字	存	《四部叢刊》影印日本岩崎氏靜嘉堂藏北宋刊本

大典引用書名 習見書名	存佚 情形	現存重要版本／備註
顏元孫干祿字 干祿字書	存	《叢書集成簡編》影印明夷門廣牘石拓刻本
張參五經文字	存	《叢書集成簡編》影印清後知不足齋叢書本
唐玄度九經字樣	存	《叢書集成簡編》影印清後知不足齋叢書本
徐鍇通釋 說文解字繫傳通釋	存	《四部叢刊》影印常熟瞿氏藏殘宋本配吳興張氏藏影宋寫本
徐鉉篆韻 說文解字篆韻譜	存	《域外漢籍珍本文庫》影印日本天理大學圖書館藏元延佑三年種善堂刊本
郭忠恕佩觿	存	國家圖書館藏清順治四年兩浙督學李際期刊本
顧野王玉篇 大廣益會玉篇	存	《四部叢刊》影印建德周氏藏元刊本
釋行均龍龕手鑑	存	《四部叢刊》影印江安傅氏雙鑑樓藏宋刊本
司馬光類篇	存	《辭書集成》影印明毛氏汲古閣影宋鈔本
張有復古編	存	《中華再造善本》影印中國國家圖書館藏元至正六年吳志淳好古齋刻本
鄭樵六書略 通志六書略	存	《中華再造善本》影印中國國家圖書館藏元大德三山郡庠刻元明遞修弘治公文紙印本
五音韻譜 說文解字五音韻譜	存	國家圖書館藏宋淳熙間刊元明遞修本
杜从古集篆古文韻海	存	國家圖書館藏明嘉靖二年武陵龔萬鍾手鈔本
姚敦臨二十體篆	殘	有《大典》輯本，參見本書第二章
婁機廣干祿字 廣干祿字書	殘	有《大典》輯本，參見本書第二章
漢隸字源	存	故宮博物院藏宋紹熙間刊本

大典引用書名 習見書名	存佚 情形	現存重要版本／備註
孫氏字說	存	即宋孫弈《履齋示兒編·字說》,《中華再造善本》影印中國國家圖書館藏元劉氏學禮堂刻本
韓道昭五音類聚[1] 四聲篇海	存	國家圖書館藏元前至元間刊本
李肩吾字通	存	文淵閣《四庫全書》本
楊桓六書統	存	《中華再造善本》影印中國國家圖書館藏元至大元年江浙行省儒學刻元明遞修本
戴侗六書故 六書故	存	故宮博物院藏明萬曆間嶺南張萱訂刊本
李璽存古正字	殘	有《大典》輯本，參見本書第二章
倪鏜六書類釋	殘	有《大典》輯本，參見本書第二章
吾衍續釋 說文續釋	殘	有《大典》輯本，參見本書第二章
周伯琦說文字原	存	《中華再造善本》影印中國國家圖書館藏元至正十五年高德基等刻公文紙印本
周伯琦六書正譌	存	《中華再造善本》影印中國國家圖書館藏元至正十五年高德基等刻公文紙印本
洪邁漢隸分韻	存	《中華再造善本》影印中國國家圖書館藏元刻本
楊鉤鐘鼎集韻 增廣鐘鼎篆韻	存	《續修四庫全書》影印上海圖書館藏清抄本
釋道泰韻選 集鐘鼎古文韻選	存	《北京圖書館古籍珍本叢刊》影印清抄本
楊益隸韻	殘	參見本書第二章

1 《大典》所引書名又作《五音篇海》。

大典引用書名 習見書名	存佚情形	現存重要版本／備註
字滌博義	殘	有《大典》輯本，參見本書第二章
陸法言廣韻 切韻	殘	敦煌《切韻》殘卷
孫愐唐韻	殘	唐寫本《唐韻》殘卷
宋重修廣韻	存	《中華再造善本》影印上海圖書館藏宋乾道五年建寧府黃八郎刻本
丁度集韻 集韻	存	《中華再造善本》影印中國國家圖書館藏宋刻本
吳棫韻補 韻補	存	《中華再造善本》影印遼寧省圖書館藏宋刻本
毛晃禮部韻略	存	國立故宮博物院藏宋嘉定十六年國子監刊本
王柏正始之音	存	全書存於程端禮《程氏家塾讀書分年日程》，《四部叢刊》影印常熟瞿氏鐵琴銅劍樓藏元刊本
韓道昭五音集韻	存	國家圖書館藏明成化金臺大隆福寺集貲刊本
鄭之秀精明韻	殘	有《大典》輯本，參見本書第三章
高勉齋學書韻總 五書韻總	殘	有《大典》輯本，參見本書第三章
歐陽德隆押韻釋疑	存	《中華再造善本》影印中國國家圖書館藏宋嘉熙三年禾興郡齋刻本
五十先生韻寶	存	日本宮內廳書陵部藏元刊本
郭守正紫雲韻 增修校正押韻釋疑	存	《中華再造善本》影印中國國家圖書館藏宋刻本
張子敬經史字源韻略	殘	有《大典》輯本，參見本書第三章

大典引用書名 習見書名	存佚 情形	現存重要版本／備註
熊忠韻會舉要 古今韻會舉要	存	國家圖書館藏元刊本
陰時夫韻府群玉	存	《中華再造善本》影印上海圖書館藏元大德刻本
魏柔克正字韻綱	殘	有《大典》輯本，參見本書第三章
草書集韻	存	國家圖書館藏明成化十年蜀藩刊本
趙謙聲音文字通	存	《四庫全書存目叢書》影印中山大學圖書館藏清鈔本配補北京大學圖書館藏明鈔本
洪武正韻	存	傅斯年圖書館藏明洪武間刊藍印本
韻會定正	殘	有《大典》輯本，參見本書第三章
韻會定正字切	殘	有《大典》輯本，參見本書第三章
廣韻總	殘	參見本書第三章

《四庫全書》 書名	存佚 情形	現存重要版本／備註
經部小學類 方言		《四部叢刊》影印江安傅氏雙鑑樓宋刊本
經部小學類 切韻指掌圖		《中華再造善本》影印中國國家圖書館藏宋紹定三年越州讀書堂刻本
經部小學類存目 蒙古譯語	存	《新編纂圖增類群書類要事林廣記》錄有全帙，《續修四庫全書》影印元至順建安椿莊書院刻本
經部小學類存目 華夷譯語	存	《涵芬樓秘笈》影印明經廠刊本

未嘗不接乎耳目是書雖亡韻庸何傷惟古曾子十篇
文字多舛誤不可不考正豫章周邁參合諸本訂其同異
明其音訓用志不苟可謂篤好曾氏之書者矣邁字立中
醇厚慤樸少有餘力工於詩今文敏工詩之筆毅勉書
之實其益詎可涯也哉

存古正字序

正書之變三俗書之變二正書者何黃帝時倉頡所造
也後世謂之古文別出者謂之古文奇字歷數千年而
周宣王之時變為大篆又數百年而秦始皇之時變為
小篆古文大小篆三體略有改更實不相遠也故於六
書之義無差殊俗書者何秦時所作隸書也當時取便
官府吏文而已人之情喜簡捷而厭繁難自此以後公
私通行悉用隸書而古初造字之義浸泯後漢許氏收
重為之嘅況距今又千載乎隸變而楷則惟姿媚悅目
是尚豈復知有六書之義哉六書之義不明則五經之
文亦晦何也五經之文古人之言也古人之言而書以後
世之字字既非古則其訓詁名義何從而通苟欲率天
下之人而廢俗書復古篆勢固有所不可惟於世俗通
行之字正其點畫之謬訛偏旁之淆亂則雖今字而不
失古義昔臨邛魏公華父蓋嘗有意乎此而於字未能
悉正也至元之季於金陵識先達李君仲和父精究字
學所輯稽古韻深契予心後三十年其孫桓示存古正字
一編又曰稽古韻而約之者也凡華父所未及正者仲
和父悉正之其有功於字學大矣而予之尊其書也非特
以其與己同好也仲和諱伯金宋淳祐庚戌進士出身
官至承直郎淮西節制司屬官

篆書序

秦隸興而篆書廢漢四百年莫有能者觀於漢代碑刻
可見矣三国六朝間亦無聞焉唐三百年李當塗一人
而已自秦丞相逮于宋初蓋千年而僅有徐騎省以能
繼當塗自許何斯學之寥寥也宋人能篆書者頗多於
唐蜀魏文靖公至今為人所稱陳伯英魏公鄉人也游
藝之暇及此所書千文字體整潔其可上睎文靖者夫
陳之先世少師公於蘇文忠公姻大父行參政公當宋
南渡之除以詩名家咸淳季年別院省試春秋第一人
伯英季父也一家文學之傳不絕伯英名瑛受朝命為
郡教授

隸書存古韻誤韻譜題辭

自三倉之篇既亡僅有許氏說文解字為文字一家之
宗而其義不盡得夾際鄭氏略正一二未悉正也近時

書影一：吳澄〈存古正字序〉

《吳文正公集》卷十二

[illegible]云

按文清公爲江南西道一大儒著述不少概見遺稾

亦復散佚錄此以志一斑

元

六書類釋序　塵相山鄱陽人

周官保氏教國子先以六書指事象形諧聲會意轉注假借義有六而制文之要唯指事象形爲本形事相生而屬諸意義類相因而轉爲注聲以諧之假借以變通之文字所由生也有文而有字字者孳也取其孳生也秦漢以來有尉律廷尉治獄之律也古人於訟獄之書謹嚴如此讀

安仁縣志　卷三十之三　藝文　序　二

書影二：塵相山〈六書類釋序〉

清同治《安仁縣志》卷三十

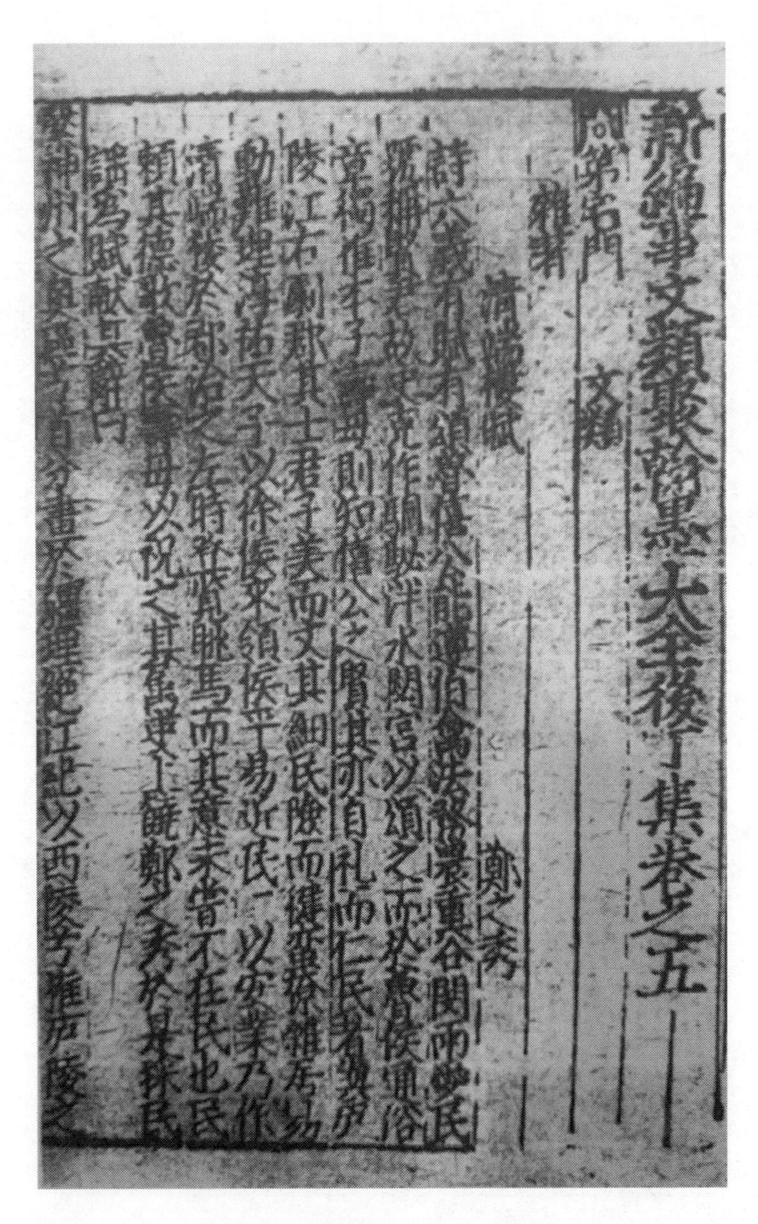
新編事文類聚翰墨大全後丁集卷之五

宮室門　文類

雜著　清端樓賦　鄭之秀

書影三：鄭之秀〈清端樓賦〉

《新編事文類聚翰墨大全》後丁集卷五

雄白水日夜東不轉幾秋風空餘廣武歎無復雲臺功

滍水 …… 雲臺 ……

乃圖畫二十八將于南宮雲臺

潁亭留別 同李治仁卿張肅子敬王元亮子正分韻得峩字。唐文粹陳寬有潁亭記

故人重分攜臨流駐歸駕乾坤展清眺萬景若相借北風三日雪太素秉元化九山鬱崢嶸了不受陵跨寒波淡淡起白鳥悠悠下懷歸人自急物態本閑暇壺觴負吟嘯塵土足悲咤迴首亭中人平林澹如畫

李治仁卿 ……

張肅子敬 ……

王元亮子正 ……

元集卷一　七

潁亭 ……

九山 ……

春物已清美客懷自幽獨危亭一徘徊脩然若新沐宿雲淡

書影四：元好問〈潁亭留別〉

《元遺山詩集箋注》卷一

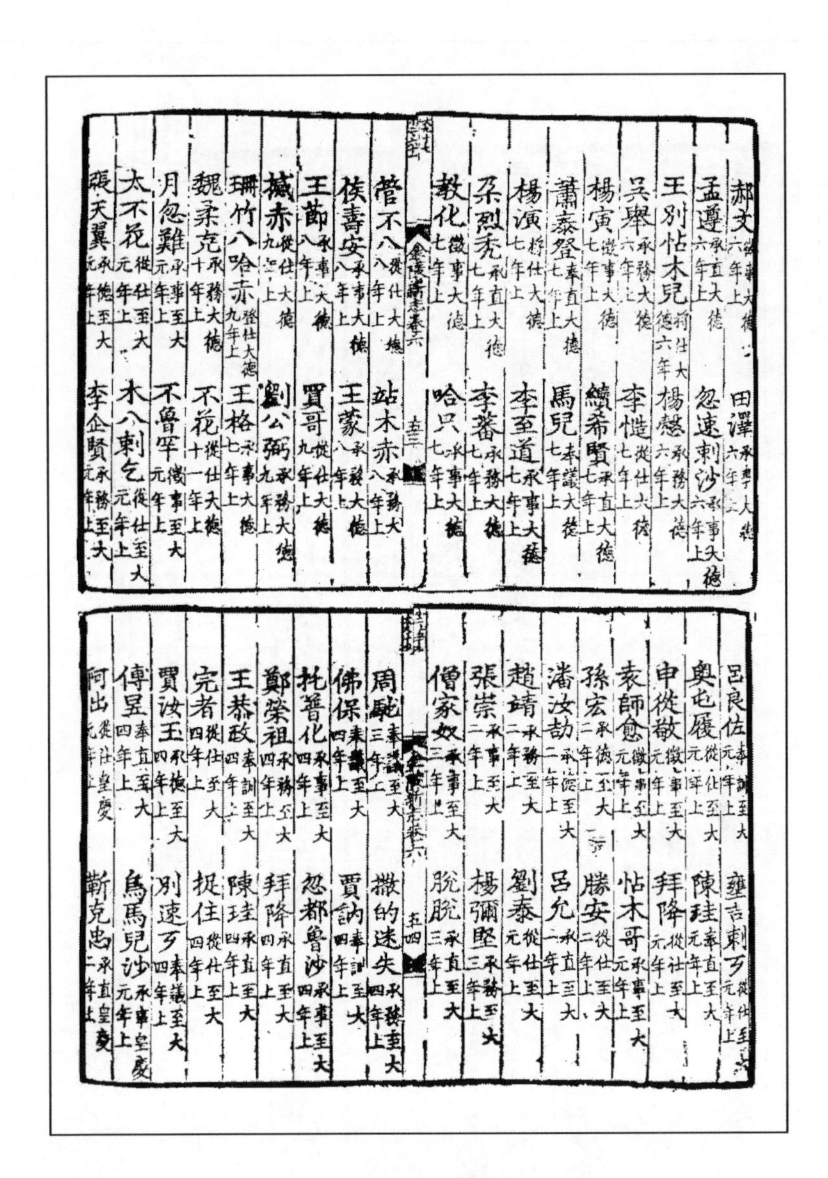
郝文 徵事大德六年上　田澤 承事大德六年上
孟遵 承直大德六年上　忽速剌沙 承事大德六年上
王別怙木兒 將仕大德六年　楊懋 承務大德六年上
吳舉 承務大德六年上　李慥 從仕大德七年上
楊寅 徵事大德七年上　續希賢 承直大德七年上
蕭泰登 奉直大德七年上　馬兒 奉議大德七年上
楊演 將仕大德七年上　李至道 承事大德七年上
朶烈秃 承直大德七年上　李蕃 承務大德七年上
教化 徵事大德七年上　哈只 承事大德七年上
金陵新志卷六　五十三
瞀不八 從仕大德八年上　站木赤 承務大八年上
侯壽安 承事大德八年上　王蒙 承務大德八年上
王節 承事大德八年上　賈哥 從仕大德九年上
撖赤 從仕大德九年上　劉公弼 承務大德九年上
珊竹八哈赤 登仕大德九年上　王格 承事大德七年上
魏柔克 承務大德十年上　不花 從仕大德十一年上
月忽難 承事至大元年上　不魯罕 徵事至大元年上
太不花 從仕至大元年上　木八剌乞 從仕至大元年上
張天翼 承德至大元年上　李企賢 承務至大元年上

呂良佐 奉訓至大元年上　甕吉剌歹 從仕至大元年上
奧屯履 從仕至大元年上　陳珪 奉直至大元年上
申從敬 徵事至大元年上　拜降 從仕至大元年上
袁師愈 徵事至大元年上　怙木哥 承事至大元年上
孫宏 承德至大二年上　滕安 從仕至大二年上
潘汝劼 承從至大二年上　呂允 承直至大二年上
趙靖 承務至大二年上　劉泰 從仕至大元年上
張崇 承事至大二年上　楊彌堅 承務至大三年上
僧家奴 承事至大三年上　脫脫 承直至大三年上
金陵新志卷六　五四
周馳 奉議至大三年上　撒的迷失 承務至大四年上
佛保 奉議至大四年上　賈訥 奉訓至大四年上
托普化 承事至大四年上　忽都魯沙 承事至大四年上
鄭榮祖 承務至大四年上　拜降 承直至大四年上
王恭政 奉訓至大四年上　陳珪 承直至大四年上
完者 從仕至大四年上　捏住 從仕至大四年上
賈汝玉 承德至大四年上　別速歹 奉議至大四年上
傅昱 奉直至大四年上　烏馬兒沙 承事皇慶元年上
阿出 從仕皇慶元年上　靳克忠 承直皇慶二年上

書影五：張鉉《金陵新志》卷六

程氏家塾讀書分年日程卷三　旁證

正始之音序

夫載道傳世書之功大矣書有六義其來已久蓋自蒼頡始制文字雖點畫偏傍之微有精義入神之妙有自然布置之宜後人推之以爲有象形指事會意諧聲轉注假借六者之別雖分千行萬變不越此夫象形者寫其跡也指事者推其義也會意者合其形而兼乎義者也諧聲者合其聲以附乎形也轉注者形之變也假借者聲之變也學者精辨乎此則古今文字若網之在綱有條而不紊矣是

書影六：王柏〈正始之音序〉

《程氏家塾讀書分年日程》卷三

履齋示兒編卷之十八

盧陵孫奕季昭撰

字說

畫譌

夫止戈之為武門玉之為閏皿蟲之為蠱反正之為乏日月之為明大土之為坎人言之為信如心之為恕具載經傳炳炳如冊則古人制字之謹嚴不可一毫加損也自俗書溷亂失其本真後學緣訛襲舛不可勝紀今略是正之

[illegible]近鍊 音東 卭近邛 音蛩 鈆近鉛 音[illegible] 彤近肜

書影七：孫奕《履齋示兒編》卷十八

語言文學叢書 1000008

《永樂大典》所引小學書鉤沉 增訂版

作　　者　翁敏修
責任編輯　吳家嘉

發 行 人　陳滿銘
總 經 理　梁錦興
總 編 輯　陳滿銘
副總編輯　張晏瑞
編 輯 所　萬卷樓圖書股份有限公司
排　　版　林曉敏
印　　刷　百通科技股份有限公司
封面設計　百通科技股份有限公司

發　　行　萬卷樓圖書股份有限公司
　臺北市羅斯福路二段 41 號 6 樓之 3
　電話 (02)23216565
　傳真 (02)23218698
　電郵 SERVICE@WANJUAN.COM.TW
大陸經銷　廈門外圖臺灣書店有限公司
　電郵 JKB188@188.COM
香港經銷　香港聯合書刊物流有限公司
　電話 (852)21502100
　傳真 (852)23560735

ISBN 978-957-739-991-5
2016 年 4 月增訂版
2015 年 2 月初版
定價：新臺幣 320 元

如何購買本書：
1. 劃撥購書，請透過以下郵政劃撥帳號：
　帳號：15624015
　戶名：萬卷樓圖書股份有限公司
2. 轉帳購書，請透過以下帳戶
　合作金庫銀行 古亭分行
　戶名：萬卷樓圖書股份有限公司
　帳號：0877717092596
3. 網路購書，請透過萬卷樓網站
　網址 WWW.WANJUAN.COM.TW
大量購書，請直接聯繫我們，將有專人為您服務。客服：(02)23216565 分機 10

國家圖書館出版品預行編目資料

<<永樂大典>>所引小學書鉤沉 / 翁敏修著. -- 增訂版. -- 臺北市 : 萬卷樓, 2016.04
　面；　公分. -- (語言文字叢書)
ISBN 978-957-739-991-5(平裝)
1.永樂大典 2.研究考訂

043.6　　105002551